Venise en hiver

Au moment où Hélène Morel atterrit sur l'aérodrome de Venise, elle croit avoir rompu avec un passé qui l'a profondément bouleversée. Dans cette Venise d'hiver, silencieuse, recueillie, le présent prend alors pour la jeune femme le visage de l'amour. Elle vient en effet de rencontrer Lassner qui, en qualité de reporter-photographe, a mené une existence aventureuse dans de nombreux « points chauds » de la planète.

Mais, de Paris, André Merrest, l'amant délaissé, rejoint Hélène et se montre plus autoritaire, plus dur que jamais, tout en négligeant Yvonne, sa propre femme, qu'il a désespérée.

Ce conflit entre deux êtres si opposés, Hélène et André, trouvera son dénouement lorsque Lassner, dans cette Italie d'aujourd'hui, en proie aux convulsions sociales et aux attentats terroristes, sera dangereusement menacé. Ainsi ce roman témoigne-t-il à la fois de la précarité du bonheur et du déchaînement de la violence dans le monde actuel.

Histoire imaginaire, certes, mais liée à la vérité de notre époque, si exaltante et si tragique.

Emmanuel Roblès est né à Oran en 1914. Encouragé par Albert Camus qu'il rencontre en 1937, il publie l'année suivante, à Alger, son premier roman. Il est ensuite mobilisé durant six années et termine la guerre, en mai 45, dans le Wurtemberg. Le prix du Portique couronne en 1948 sa pièce Montserrat, *représentée à ce jour dans 45 pays et en plus de 20 langues. La même année, il est lauréat du prix Fémina pour son roman* les Hauteurs de la ville. *Grand voyageur, Roblès a parcouru le monde en qualité de reporter ou de conférencier. En 1973, il a été élu à l'académie Goncourt.*

Du même auteur

AUX MÊMES ÉDITIONS

Federica

Les Couteaux

Montserrat, *théâtre*

La vérité est morte, *théâtre*

Les Hauteurs de la ville

L'Horloge, *suivi de* Porfirio, *théâtre*

Plaidoyer pour un rebelle,
suivi de Mer libre, *théâtre*

Cela s'appelle l'aurore

La Remontée du fleuve

La Mort en face, *nouvelles*

Un printemps d'Italie

L'homme d'avril, *nouvelles*

Un amour sans fin, *poèmes*

L'Ombre et la Rive, *nouvelles*

Saison violente
(coll. « Points-Romans », 1981)

La Croisière

Le Vésuve

Les Sirènes

AUX ÉDITIONS BALLAND

L'Arbre invisible, *nouvelle*

Emmanuel Roblès

DE L'ACADÉMIE GONCOURT

Venise
en hiver

roman

Éditions du Seuil

TEXTE INTÉGRAL.

EN COUVERTURE : photo Alain Mc Kenzie.

ISBN 2-02-006282-8.
(ISBN 1re publication : 2-02-005748-4 brochés :
2-02-005784-0 luxes.)

© ÉDITIONS DU SEUIL, 1981.

PREMIÈRE PARTIE

Hélène

1

A l'aéroport Marco-Polo, Marthe était venue la chercher. Juste avant de franchir le contrôle de police, Hélène l'avait aperçue aux aguets derrière les vitres du grand hall, toujours mince, élégante, avec cet air de jeunesse et de fraîcheur qui défiait ses cinquante-cinq ans. Du regard, Marthe la cherchait parmi les voyageurs. Lorsqu'elle la découvrit enfin, elle lui fit des signaux très brefs mais d'une affectueuse complicité. Dès cet instant, Hélène perdit ce sentiment, qui la tenait depuis Paris, d'être en fuite, traquée par un monde qui désavouait sa conduite. De loin, ce sourire de Marthe lui parut la plus consolante de toutes les expressions humaines. Il l'apaisait un peu, quoique son équilibre intérieur demeurât encore précaire. Le choc subi la semaine précédente la laissait égarée dans un enchevêtrement de pensées déprimantes, et c'est d'ailleurs dans le pire moment de son désarroi qu'elle avait, en pleine nuit, appelé Marthe. Tout de suite, celle-ci l'avait pressée de la rejoindre à Venise, sans même commenter le drame qu'on lui apprenait, insistant sur les vertus de l'éloignement et les dangers, dans la circonstance, d'une complète solitude. Hélène s'était décidée, convaincue par cette voix d'évidence.

Dans l'attente des bagages de soute, Marthe se tint près de sa nièce, évitant toute question au sujet d'André et d'Yvonne Merrest, comme si la conversation téléphonique de l'autre nuit eût épuisé le sujet. Elle eût aimé lui prendre la main mais, incommodée par l'odeur du kérosène qui avait envahi le hall, elle était soucieuse avant tout de presser un mouchoir sur son nez. Au vrai, elle avait une vive affection pour Hélène, fille de sa sœur cadette, et la savait mal engagée dans la vie. A la dérobée, elle observa le visage de la jeune femme, s'apitoya sur les signes de fatigue et d'amertume qu'elle y voyait et qui révélaient cette crise dont à coup sûr elle tarderait à guérir.

Dans le taxi qui les conduisait jusqu'au piazzale Roma, non loin de l'embarcadère pour Saint-Marc, Hélène demanda (elle n'y avait pas encore pensé) des nouvelles de Carlo, le mari de Marthe.

— Lui? Il va bien. Il t'attend... Je veux dire : tu le verras ce soir à son retour du Cercle.

Marthe était d'une taille relativement petite mais bien proportionnée. Dans son frais visage de bergère, on distinguait tout de suite ses yeux, de magnifiques yeux bleus, un peu obliques (Hélène en avait de semblables) et qui, lorsqu'elle les clignait, lui donnaient une curieuse expression de roublardise.

Du taxi, les deux femmes, chacune portant une valise, passèrent sur le bateau-mouche d'où Hélène regarda défiler les deux rives du Grand Canal. C'était la première fois qu'elle venait à Venise en hiver. Jusque-là elle n'y avait séjourné qu'en juin ou en septembre. L'air était chargé d'une humidité qui collait au visage et sentait la mer. En certaines occasions, André lui avait proposé de prendre ici des vacances avec elle et s'était toujours récusé au dernier instant sans qu'Hélène s'en montrât affectée.

Un peu avant le Rialto, le bateau-mouche croisa une barque à moteur chargée de ciment. L'homme en ciré noir, assis à la barre, tourna la tête dans sa direction, et elle eut l'illusion que c'était André qui la regardait. Frileusement, elle remonta le col de son imperméable, surprise de constater en elle une sorte d'hostilité, comme si la distance la rendait plus consciente de l'absurde existence qu'elle avait menée à Paris depuis deux ans.

Carlo et Marthe Risi habitent sur la rive droite, près du campo San Paolo, depuis une quinzaine d'années, un appartement assez vaste mais mal conditionné, au deuxième étage d'un bâtiment vétuste. Au rez-de-chaussée loge un couple dont le mari est maçon et dont la femme, Amalia, fait des ménages. En particulier, elle sert le matin chez les Risi. Très active, toujours enjouée, elle a souvent l'air de se moquer du monde et souhaite la bienvenue à Hélène de façon caressante. Elle l'entraîne dans une pièce déjà prête, simplement meublée, mais éloignée de la salle de bains, une salle de bains qu'on ne peut d'ailleurs utiliser qu'en passant par la chambre des Risi. Pour compenser un peu cette incommodité on a prévu pour les hôtes une installa-

11

tion à l'ancienne mode, avec cuvette, pot à eau et seau à tout usage.

— C'est très sommaire, dit Marthe. J'en suis désolée. Mais je crois que pour te reposer tu seras mieux ici qu'à l'hôtel. (Un soupir :) De toute manière, il faudrait que nous nous décidions, Carlo et moi, à transformer et moderniser cette chambre, mais comme il parle toujours de déménager...

Hélène la remercie, l'assure que tout ira bien, dit qu'on avisera un peu plus tard et commence à défaire ses valises. Restée seule, le silence qui d'un coup se referme sur elle lui communique une fugitive sensation de sécurité, comme si elle existait en dehors de toute réalité, délivrée d'un passé qui se détacherait d'elle. Et cependant, la veille encore, André l'avait appelée au téléphone pour dire qu'il voulait absolument la rencontrer, qu'il tenait à s'expliquer, à mettre tout au net, qu'il espérait d'elle une juste compréhension. Elle avait accepté un rendez-vous en fin de semaine, dans un café du quai Saint-Michel, non seulement par lassitude mais par crainte de lui révéler qu'elle avait déjà son billet pour Venise et quitterait Paris le lendemain sans le revoir. Sans cette précaution, peut-être serait-il venu à l'aérodrome, obstiné à la convaincre de sa passion, à l'empêcher de partir, à la retenir en dépit de ce drame qui paraissait l'atteindre comme une contrariété passagère alors que pour Hélène il s'agissait d'une épreuve où chavirait toute son intelligence.

Dans la salle de bains, près du miroir au-dessus du lavabo, un insecte s'est posé. Ni la lumière ni la présence d'Hélène ne paraissent l'inquiéter. Il a des ailes membraneuses, de longues pattes en V renversé qui le maintiennent en position oblique, l'abdomen dressé, le rostre à toucher la cloison. D'un coup de serviette, Hélène l'écrase en mettant dans ce geste une irritation qui la surprend. Elle le ramasse, encore vivant semble-t-il — ses pattes frémissent — et le jette dans la cuvette dont elle tire la chasse. Ensuite elle s'aperçoit qu'une minuscule goutte de sang est restée sur le mur, l'essuie avec dégoût. A cet instant, elle se demande : et si j'étais enceinte d'André? Mais non, cette peur est sans raison. Dès qu'elle est sous la douche elle ouvre en grand le robinet, comme si la violence de l'eau qui la fouette pouvait effacer tout sujet de crainte.

De retour dans sa chambre, elle jette par la fenêtre un coup d'œil au dehors. Caché derrière un chaos de nuages, elle devine que le soleil décline à une vague lueur au dessus de l'horizon. Il est à peine cinq heures, et ce crépuscule fait de la ville une sorte d'immense fleur couleur de rouille.

Allongée sur le lit, elle fume, le regard sur un tableau qui, en face d'elle, représente une scène de carnaval, dans la Venise du dix huitième siècle. On y voit une jeune femme, coiffée d'un gracieux petit tricorne, la tête enveloppée dans ce voile noir qui encadre aussi le visage et recouvre les épaules. Elle porte un masque blanc, qui laisse la bouche à découvert, et sa vaste jupe s'évase en corolle. Elle regarde en direction d'un homme dont le masque noir, allongé en une pointe recourbée, lui fait un profil d'oiseau. Une cape très ample le recouvre et, un doigt sur les lèvres, il semble inviter la jeune femme à se taire, à garder un secret. De son lit, la lampe de chevet allumée, Hélène examine cette image et, quoiqu'elle ne parvienne à aucune interprétation logique,

13

elle y voit le sens d'une expérience plus ou moins dramatique. En effet, ni l'une ni l'autre de ces figures ne sourit, et les jeux d'ombre renforcent l'impression d'une connivence dangereuse ou d'une confrontation avec quelque énigme qui corrompt soudain, chez la jeune femme, sa joie de vivre.

Alertée plus tard, « A table! A table! », par les appels de Marthe, Hélène revêt une robe, va se recoiffer devant la glace et reste un instant à regarder ses yeux profondément creusés, « de véritables yeux de folle », pense-t-elle. A vrai dire elle est si lasse qu'elle se passerait de dîner, mais elle veut au moins saluer son oncle qui vient comme chaque soir de rentrer de son Cercle.

— Tu débarques en notre chère Italie, lui disait Carlo pendant le repas, dans sa plus belle période de massacres et dans sa pleine déliquescence. En moyenne, nous avons trois attentats par semaine au revolver ou à la bombe.

Long et sec, Carlo avait un visage marqué de deux rides verticales, des cheveux drus et des paupières sèches comme du papier. Ses allures de juge inquisiteur, impitoyable aux erreurs humaines, étaient plus accentuées lorsqu'il fumait ces cigares dits « bâtons de chaise », en les portant à ses lèvres d'un geste arrondi, la tête rejetée en arrière. En dépit de ces apparences, c'était un homme des plus simples. Fondé de pouvoir dans la succursale d'une banque de Turin, il avait rencontré Marthe trente cinq ans plus tôt, et de leur mariage, un fils était né qui, aujourd'hui à Buenos Aires, représentait une firme d'automobiles. Toute l'année, Marthe et lui vivaient côte à côte sans faire de bruit, dans une paix un peu grise. Au mois d'août, ils fuyaient la chaleur de la ville et son agitation touristique pour un chalet dans les Dolomites où, loin de son Cercle, Carlo, stoïquement, s'ennuyait.

Les bûches flambaient dans la cheminée que dominait un miroir ancien encadré de candélabres en verre de Murano. A table, la lueur des flammes tremblait sur la vaisselle d'argent et les flacons de cristal.

Sans doute par discrétion, Carlo évitait-il toute allusion aux circonstances qui avaient motivé le voyage de sa nièce. On pouvait penser aussi que cette histoire n'avait pour lui aucun intérêt.

— La même violence existe ailleurs, dit Marthe. C'est notre époque qui veut ça. Les bombes, les enlèvements, les fusillades ne sont pas une spécialité italienne.

— L'imposture de nos terroristes, poursuivit Carlo sans tenir compte de cette objection, de ceux qui ambitionnent de régénérer la société, qui veulent changer les hommes, les rendre meilleurs, c'est qu'ils commencent par les avilir dans la peur.

— A leur manière, dit Marthe, ses grands yeux bleus tout papillotants, ce sont pourtant des idéalistes.

— Allons donc! les idéalistes ont confiance dans l'homme, les terroristes non.

Lasse et vaguement découragée, Hélène dut écouter son oncle évoquer la corruption qui gangrenait l'État, les scandales qu'on étouffait mais qui perçaient à la longue, les milliards qui fuyaient à l'étranger, les personnalités politiques impliquées dans les affaires douteuses et jusqu'au président de la République lui-même, contraint de démissionner.

Il ne s'indignait pas, mais on pouvait, dans le ton, percevoir une ironie un peu acide. Ensuite, il développa l'idée qu'en Italie la violence rouge, aussi intense que la noire, celle des néo-fascistes, était née à la fois du cynisme scandaleux des profiteurs et de l'extrême détresse des humbles.

Hélène suivait à peine ces propos, distraite par la perspective d'un canal que délimitait la fenêtre et, au-delà, par l'étendue ténébreuse de la ville, piquée de lueurs frissonnantes. En elle dominait le sentiment d'un échec absolu, et cela pour avoir manqué de courage, de lucidité, d'énergie. A quoi bon charger André? Elle aussi était coupable. Et ce mot, qu'elle se répéta, parut dessécher tout son esprit, lui interdire toute autre pensée.

— ... La vraie démocratie, je dis bien : la vraie, poursuivait Carlo de sa voix ronronnante, ce n'est pas de ces flaques de sang qu'elle naîtra, qu'elle pourra surgir un jour comme une Vénus sortant de la mer!

A cette image, qui perça l'épaisseur de sa propre obsession, Hélène reporta lentement le regard sur son oncle.

— Bon, dit celui-ci, je t'ennuie. Tu as raison, allons plutôt près du feu.

Installé dans un fauteuil, il étira ses longues jambes devant les flammes tandis qu'Hélène protestait mollement.

Pour Marthe, les groupes terroristes agissaient souvent par souci de publicité.

Carlo renchérit aussitôt, reprenant le ton un peu emphatique dont on usait à son Cercle. Oui, les attentats les plus spectaculaires étaient destinés à courber les esprits comme à requérir l'attention de l'opinion mon-

diale, que la cause fût d'inspiration autonomiste, natio
naliste ou foncièrement révolutionnaire.

Avec un soin maniaque, il alluma un de ses longs
cigares.

— Au fond, tout le mal vient de ce que les hommes
ne se sentent pas liés entre eux, solidaires sur cette déri
soire petite planète.

Planté au milieu des lèvres, le cigare lui faisait un bec
qui s'accordait à sa maigre silhouette d'échassier. Près
de lui, Marthe s'était mise à son tricot. Elle était une
infatigable tricoteuse.

— Ce qui est vrai, dit-elle, c'est qu'un mort chasse
l'autre. Beaucoup d'émotion le jour même et très vite
on oublie. Comme toujours, la vie est la plus forte.

Il y eut alors un assez long silence, à peine troublé
par le craquement des bûches. A coup sûr, Marthe avait
parlé sans malice, mais dans son cas personnel Hélène
pensa que le mot oubli n'avait aucune signification,
hantée comme elle l'était par cette femme fermée sur sa
souffrance, là bas, dans une clinique d'Auteuil.

2

Très tôt, le lendemain, elle se réveilla à l'heure habituelle où, à Paris, son « horloge intérieure » la tirait du sommeil. Du fond de son engourdissement, elle admit cette évidence qu'elle n'irait pas au bureau ce jour-là, qu'elle était à Venise et disposerait de tout son temps. Elle décida de s'attarder au lit jusqu'au départ de Carlo puisque, aussi bien, la salle de bains lui était interdite jusqu'à ce qu'il abandonnât sa chambre.

Elle ouvrit un livre emprunté la veille à la bibliothèque de son oncle qui collectionnait les ouvrages sur l'histoire de la Sérénissime. Elle avait choisi les mémoires du dernier doge, Ludovico Manin, celui-là même que Bonaparte avait destitué en 1797. Des lueurs filtraient par les interstices de la fenêtre, créaient une légère pénombre mais, pour sa lecture, elle alluma la lampe de chevet. Tout près, sur le fauteuil, s'étalaient ses vêtements impatiemment dépouillés la veille. De façon incompréhensible, ce désordre tourna sa pensée vers l'image d'Yvonne Merrest allongée, elle aussi, sur un lit dans une chambre étrangère. Ce fut si intense qu'elle s'assit en rejetant les couvertures, les avant-bras en croix sur la poitrine, les mains agrippées aux épaules. La maison était silencieuse. Amalia n'avait pas encore pris son service. Un long moment elle resta ainsi, les yeux fermés, à écouter la rumeur du sang au fond d'elle même.

Tout de suite après le départ de Carlo, elle courut s'en fermer dans la salle de bains, prit sa douche et, encore dégoulinante d'eau, la chevelure collée au crâne comme un casque, elle se vit tout entière dans le grand miroir. Sans complaisance elle examina son corps, ses seins hardiment plantés, le ventre à peine bombé qui répondait au rythme de la respiration et se souvint de sa première soirée avec André, se rappela le moment où il l'avait dévêtue sans cesser de lui caresser des lèvres la gorge et les épaules.

En retournant dans sa chambre, elle rencontra Amalia qui lui apportait le petit déjeuner. Amalia posa le plateau sur un guéridon, ouvrit les persiennes, ce que Hélène avait négligé de faire, engagée comme elle l'était depuis son réveil dans un déchiffrement obstiné de sa conscience.

Elle grignota une galette, rapporta elle même le plateau presque intact à la cuisine. Amalia s'exclama :

— Signorina, vous n'avez rien mangé!

— Merci Amalia, cela me suffit.

Navrée, Amalia secouait la tête, disait sa réprobation, ajoutant : « C'est comme ça qu'on devient tuberculeux. » Elle le croyait, et parce qu'Hélène ne réagissait pas, citait le cas d'une jeune fille de sa connaissance morte ainsi, *poverina,* victime de son inappétence.

Dehors, il pleuvait. Marthe venait tout juste de partir pour le marché. De nouveau dans sa chambre, Hélène se dit qu'elle avait déjà vingt-huit ans, qu'elle avait rêvé de voyages, de découvertes et qu'à ce jour elle avait à peine exploré l'intérieur de son être, surprise à présent d'y déceler tant d'obscurités, d'incohérences, tout ce qui par des cheminements incontrôlés avait abouti pour elle à ce désordre. Elle eut hâte de sortir, de marcher au hasard.

— Vous vous en allez comme ça? dit Amalia.

Elle revêtit son imperméable, se coiffa d'un béret. Sans l'avertissement d'Amalia elle n'y aurait pas pensé tant elle devenait par moments absente à elle-même.

Elle longea la rue, puis un canal dont l'eau, battue par la pluie, semblait bouillir. Tout était désert. Quelques petits cafés étaient ouverts, mais de nombreux magasins ne reprendraient vie qu'à la belle saison. Elle atteignit la place Saint-Marc alors que la pluie cessait enfin. Tout l'espace lui apparut étrangement rétréci par une brume qui effaçait la basilique, lui retirait son volume, la réduisait à une surface grise, assombrie à l'emplacement des porches. Du campanile elle distinguait à peine le sommet, dilué dans cette grisaille comme les dômes eux-mêmes. Elle se sentit intimement accordée à cette solitude, à cet univers sans présence humaine — à peine une ou deux silhouettes furtives sous les arcades des Procuraties — égarée dans les décors d'un théâtre, abandonnés, dépouillés de leurs dorures, lavés de leurs couleurs. Sautant la frange du Lido, une brise apportait du large une odeur d'herbe comme si elle était passée sur des prairies invisibles. Hélène poussa jusqu'à la *piazzetta* et sa rive et, serrée dans son imperméable, regarda longtemps à ses pieds l'eau battre les pierres. Elle se disait qu'André lui avait toujours menti, et ne savait démêler si sa détresse venait du froid ou de cette évidence.

André Merrest occupait un poste important dans une grande entreprise de construction qui travaillait aussi pour l'État. Pour raison d'affaires, l'agence de publicité qui employait Hélène l'avait déléguée auprès de lui. Dès leur première entrevue, il lui fit des compliments sur un ton de désinvolture un peu forcé. Il avait une quarantaine d'années, un visage de santé et aussi le regard aiguisé sous des paupières un peu lourdes. Une certaine agilité de parole et la mobilité du sourire suggéraient un être de ruse, apte à dissimuler la force de ses ambitions et l'impétuosité de ses désirs. Ce qui retint l'attention d'Hélène, tout au long de l'entretien, fut sa manière de passer d'un ton de froide politesse à un ton caressant, presque doucereux. Dans l'après-midi, il l'appela au téléphone, l'invita à dîner comme s'il ne doutait pas de son acceptation. Elle refusa sous un prétexte courtois, mais il insista. La réticence d'Hélène paraissait l'offusquer. On en resta à un projet de soirée dans les semaines à venir. Hélène avait appris à se méfier de ces esprits dominateurs, satisfaits de plier les femmes à leur volonté ou à leur caprice. Elle avait quinze ans quand un garçon plus âgé venait chaque soir l'attendre à la sortie du collège et l'accompagnait d'autorité, sans jamais tenir compte de ses objections. Elle n'appréciait ni ses airs narquois ni le cynisme qu'il affectait en lui faisant la cour. Plus tard, elle apprit que cet imbécile se vantait de coucher avec elle, et en fut révoltée. Toute son

enfance et son adolescence Hélène les avait vécues dans
la crainte d'être prise en faute. Le souvenir la tenait
encore des gronderies de ses parents, de leurs punitions
absurdes. Malheureuse qu'on se fît d'elle une fausse
image et très tôt fermée sur elle-même (entre autres
choses, sa mère lui reprochait d'être sournoise), de telles
tendances la maintenaient dans un état d'appréhension
et de doute. Mais s'avivaient aussi en elle un désir de se
dévouer, d'être aimée, en même temps qu'une peur
confuse de voir quelque chose d'inconnu et de précieux
lui échapper dans cette vie.

De longs mois, à Paris, elle vécut seule, logée dans un
triste petit appartement sur cour, derrière l'hôpital de
Vaugirard. Après quelques semaines de tergiversations,
elle finit brusquement, sans élan ni joie, par céder à
André Merrest.

Elle traversa la place où la statue de Goldini luisait
sous le crachin et pénétra dans le bureau de la Poste
centrale. Selon les dispositions qu'elle avait prises, son
courrier la suivrait ici. Rien encore ne l'y attendait, il
était bien trop tôt, et elle le savait comme elle savait
qu'elle était venue là sous l'effet d'une tentation plus
ou moins incertaine. Un moment elle resta au centre du
vaste hall devant le puits désaffecté. L'édifice était un
ancien palais ouvert de l'autre côté sur le Grand Canal.
L'esprit en dispersion mais qui se resserrait autour d'un
centre de plus en plus précis, elle se décida avec cette
soudaineté qui lui était coutumière et demanda au guichet du téléphone la communication avec Paris. La

jeune employée à qui elle donna le numéro la regarda droit dans les yeux à croire qu'elle blâmait le sens de sa démarche. Elle était petite, frêle, le front bombé, une expression butée sur le visage. Hélène soutint son regard puis s'en fut attendre plus loin. Appuyé au guichet voisin, un homme en chapeau de feutre, le ciré tout luisant, l'observa avec insistance, sans la moindre gêne, comme on fait avec une étrangère qui ne peut être qu'une femme facile. Hélène tressaillit lorsque l'employée l'appela :

— *Pariggi, signora!*

De la main elle lui désignait une cabine. Hélène s'y enferma, décrocha l'écouteur, entendit :

— *Signora, il suo numero è in linea!*

Déclic. Puis une voix :

— Clinique des Ormes. J'écoute.

— C'est au sujet de Mme Merrest. S'il vous plaît, pourrais-je avoir de ses nouvelles?

— Chambre 108. Je vous la passe.

Ce n'était pas ce qu'Hélène souhaitait. Elle s'affola, faillit même renoncer. Mais une autre voix parla, faible, languissante :

— Allo? Qui est là?

Comme Hélène, la gorge nouée par l'émotion, ne disait plus rien, la voix reprit après un court silence :

— Mais qui demandez-vous?

Hélène alors raccrocha, et elle était si bouleversée qu'elle en oubliait de sortir. Une clarté cependant traversait cette nuit mentale : Yvonne Merrest était réellement sauvée. Elle l'avait entendue. Cette femme vivait. Certes, André lui avait dit dans ce café de Saint-Michel qu'Yvonne n'était plus en danger, qu'elle était aux mains d'un médecin de talent, mais si sou-

vent il lui avait menti... Tout au long de leur liaison
ne l'avait-il pas étouffée sous ses mensonges? L'émotion qui la tenait encore lui desséchait les lèvres.
L'homme au feutre avait disparu, l'immense hall était
désert et ses trois étages ouvraient leurs arcs comme
des trous sombres. Et elle se vit soudain, stupidement
immobile dans la cabine comme un mannequin dans
une vitrine.

Elle régla sa communication, sortit dans la ruelle
d'un pas nerveux, suivie par le regard de l'employée.
« Mais qui demandez-vous? » Cette voix avait laissé
en elle une succession d'échos de plus en plus affaiblis
qui, cependant, l'accompagnaient au long de cette
marche, maintenaient dans son esprit une sorte de
vibration douloureuse. La bruine avait cessé. Trop
faible, la lumière ne pénétrait pas d'elle-même au fond
des rues mais paraissait captée, retenue, diffusée par
les façades en nappes inégales. Hélène se rappela
qu'avec André elle ne s'était jamais sentie en confiance,
vraiment libre comme on peut l'être avec quelqu'un
qu'on aime. Avec le désir d'user cette petite agonie qui
la désespérait, elle se perdit volontairement à travers
le dédale des *calli* coupés de canaux sans reflets et
peuplés seulement de chats pelotonnés sous les porches.

3

En cette même matinée de décembre, Ugo Lassner descendait l'escalier de son immeuble (une fois de plus le vieil ascenseur était en panne) pour rejoindre sa voiture dans une rue voisine. Il prit son temps — rien ne le pressait — pour ranger dans le coffre ses deux valises dont l'une contenait tous les documents photographiques destinés à son exposition de Londres en février. Il allait quitter Milan pour Venise afin d'y préparer à l'aise ses agrandissements et, aussi, travailler à l'album promis à une maison d'édition genevoise. Malgré la douche fraîche et malgré un plein bol de café, il ne se sentait guère en forme. En fait, il avait peu dormi après une soirée chez le peintre Focco (un Chilien réfugié en Italie) en compagnie de plusieurs camarades et de Maria-Pia, la maîtresse de Focco, dont le corps opulent s'étalait sur la plupart des toiles. A lui aussi, Maria-Pia avait servi de modèle, et Focco, le dos voûté, la tête en avant, comme prêt à la rétracter à la manière des tortues, s'était obstiné à le convaincre de ne pas mêler des nus à une exposition essentiellement consacrée à la guerre.

Le chapeau rabattu sur les yeux, le col de sa gabardine relevé, Lassner traversa la chaussée presque déserte d'une extrémité à l'autre, à croire que le froid paralysait la ville, et pénétra dans une brasserie sous les arcades pour avaler un dernier café. Peu de consommateurs au comptoir. Le patron regarda les deux appareils photographiques que Lassner avait pendus à son cou pour la bonne raison que les abandonner dans la voiture eût été imprudent.

A la sortie, il dut attendre que le feu passât au rouge. Sur le trottoir d'en face, deux religieuses vêtues de noir, la cornette palpitante, serrées l'une contre l'autre sous un grand parapluie, allaient d'une allure intrépide, accompagnées de leur reflet sur les dalles.

Séduit par cette image, Lassner s'efface un peu derrière un pilier, arme son Nikon, va saisir les deux femmes lorsqu'une voiture couleur de rouille s'arrête au signal, rouge à présent, et les lui cache. Deux pas à gauche et il va pouvoir reprendre sa visée, mais une motocyclette montée par deux garçons — casque à visière et blouson de cuir — s'interpose à son tour. Agacé, Lassner se rabat vers la droite, toujours en retrait sous la galerie. A cette même seconde, le garçon juché à l'arrière de l'engin — comme le conducteur, il a le col du chandail remonté jusqu'aux lèvres — se penche vers l'unique occupant de la voiture, sans doute pour solliciter quelque renseignement. Il allonge le bras. Ce qu'il tient, eh oui! c'est un revolver! Lassner voit le visage horrifié de l'homme au volant dans le temps même où claquent, sèches et presque confondues, deux détonations. Il appuie sur le déclencheur. Le tueur se penche, arrache une serviette de cuir. Dans une étourdissante pétarade, la motocyclette s'échappe, tourne à l'angle, et le garçon qui a tiré, accroché de ses deux mains aux épaules de son compagnon, la serviette coincée entre sa poitrine et le dos de l'autre, jette un regard à Lassner qui a couru pour d'autres clichés. Le silence. Sur l'avenue rien ne paraît changé. La pluie continue. Un autobus file dans la rue transversale, des silhouettes pressées derrière ses vitres embuées. Là-bas, les deux religieuses s'éloignent de leur pas de fantassin. L'étrange vient de ce que le signal est passé au vert, que d'autres voitures s'élancent, doublent celle qui reste sur place, les essuie-glace en mouvement, vide en apparence. De la brasserie, quelques personnes surgissent en une galopade désordonnée. Lassner les rejoint. La victime est tombée de côté sur la banquette. En deux coulées, le sang glisse sur la tempe et la joue. L'œil qu'on aperçoit n'a plus d'éclat. Lassner écarte les curieux, photographie le corps. Il se doute que le cafetier a déjà prévenu la police. On dit près de lui : « Mais qui est-ce? » Le feu rouge revient. Un camion s'arrête, tout luisant de mouillure. Tête effarée du conducteur. Quelqu'un murmure : « Encore les Brigades rouges, non? » Lassner se dégage, retourne en hâte à sa propre voiture. Dès qu'il démarre, il entend la trompe d'un car de police qui semble provoquer l'envol en éventail d'un groupe de pigeons.

A l'Agence, en sortant du laboratoire où il venait de développer son film, Lassner pénétra dans le bureau du directeur des informations. Ercole Fiore téléphonait. D'un geste il fit signe à Lassner de s'asseoir. Cette pièce lui ressemblait, froide, calme, ordonnée. Mais Lassner savait qu'il pouvait se montrer violent. Ce

gros homme aux épaules tombantes s'habillait stricte-
ment, se croyait élégant, faisait à ses collaborateurs des
remarques désobligeantes sur leurs fantaisies vestimen-
taires. Très satisfait de lui-même, du poste qu'il avait
fini par conquérir, non sans souplesse, il avait cependant d'excellentes qualités d'organisateur et une capacité de travail peu commune. Autre mérite, il facilitait
à l'occasion la tâche de ses collaborateurs et savait se
réjouir de leur succès. Cependant, personne ne l'aimait,
il en souffrait, et quand il avait bu confiait sa déception
à n'importe qui.

Dès qu'il eut raccroché le téléphone, il se tourna
vers Lassner, ses fortes mains croisées sur le bureau :

— Encore là? Tu ne devais pas partir pour Venise?

— Un attentat a été commis ce matin pas loin de la
gare, et tu le sais.

— Bien sûr.

— De qui s'agit-il?

— Scabia. Alberto Scabia, substitut du procureur de
la République.

— Tu sais aussi qui a fait le coup?

— A cette heure personne ne l'a encore revendiqué.

— A-t-on une idée des motifs?

— On nous assure...

— Qui est ce « on »?

— Un informateur sérieux... D'après lui, Scabia s'occupait d'une importante affaire d'évasion de capitaux
à laquelle, paraît-il, des industriels et une grande banque
de Milan sont mêlés. Des milliards! Et Scabia furetait
depuis quelque temps dans ce merdier.

— Jamais eu à instruire le cas d'un militant rouge
ou noir?

— C'est à voir.

Collée aux vitres, la terne lumière de cette fin de matinée éclairait de côté le visage de Fiore, lui laissait un œil dans l'ombre, celui qu'il clignait dans son effort d'attention. Il attendait. Ce Lassner était un curieux garçon. Fiore le connaissait depuis huit ou neuf ans. Italien, malgré son nom germanique qu'il tenait de ses ascendants autrichiens, anciens occupants de la Vénétie après l'invasion de Bonaparte. Trente-deux ou trente-trois ans. Un accident d'avion lui avait laissé une main brûlée qui semblait recouverte d'une mousse rosâtre. Avait manqué d'être fusillé au Chili, noyé dans le Congo. Comme Kapa, il avait lui aussi sa légende. On le rencontrait dans de nombreux endroits troublés du monde. Collaborait aux plus grandes agences internationales, Magnum, Gamma... Dans beaucoup d'hôtels, à l'étranger, on connaissait sa silhouette à la Gary Cooper, ses cheveux clairs soigneusement plaqués, ses chemises bariolées. En dépit de ses allures nordiques, certain aspect incandescent de sa nature révélait son sang latin.

— Écoute-moi, dit Lassner. J'étais à deux pas de Scabia quand on l'a tué.

— Et c'est à présent seulement...

— Spectateur unique, mon vieux. J'ai tout mis dans la boîte. Je sors tout juste du labo.

De ses gros yeux mussoliniens, Fiore l'observait en silence, déconcerté (mais s'efforçant de n'en rien laisser paraître) par le comportement de ce gaillard qui se tenait là, tranquille, la gabardine ouverte, la main gauche, mâchurée par la brûlure, nonchalamment appuyée sur l'accoudoir du fauteuil.

— Montre donc, dit Fiore dont les grosses joues rasées au sang s'étaient peu à peu violacées.

De la poche intérieure de sa veste, Lassner sortit ses photos, se souleva à demi et, sans s'avancer, les lança sur le bureau. A cet instant, le téléphone intérieur appela. D'un geste prompt, Fiore prit le récepteur, dit « qu'on ne me dérange pas! », raccrocha. Puis il examina les documents en les faisant glisser d'une main dans l'autre sans cesser de hocher la tête.

— Compliments, dit-il à la fin; puis il se laissa aller contre son dossier.

— Aucun mérite. Un rôle de presse-bouton.

— Tout de même, tout de même...

— A cette seconde précise, je tenais mon Nikon tout prêt. Ce qu'on appelle de la chance.

— Tu parles!

Au fond de l'étage, des sonneries de téléphone retentirent comme pour marquer ce que, dans la circonstance, cette phrase sur la chance avait de scabreux.

Fiore ramena le buste en avant, s'accouda sur son bureau, reprit les photos pour les examiner plus attentivement. On frappa à la porte. Quelqu'un demandait à entrer :

— Non! rugit Fiore. Tout à l'heure!

Puis à Lassner :

— Masqués comme ils l'étaient, on ne distingue rien des visages.

— Et alors?

— Rien. Enfin, je pense aux enquêteurs.

— Ce n'est pas mon affaire.

— Quand ça paraîtra, ils voudront t'entendre.

— Dis : « souhaiteront »...

— Tu ne vas pas les voir?

— La loi n'oblige personne à témoigner. Elle ne prévoit de sanction que pour les faux témoignages.

— Cependant, il serait utile...

— Et je n'ai rien à révéler de plus que ce qu'on observe sur ces clichés.

— A ton aise.

Le téléphone de nouveau. Agacé, Fiore protesta : « Qu'est-ce que c'est? J'avais dit... » mais, son attention captée, il conserva l'écouteur. Ensuite, à Lassner :

— On vient de revendiquer l'attentat. « Justice du Peuple. »

— Jamais entendu parler.

— Ça ne fera que le cent quarantième ou quarante-deuxième groupe activiste à se manifester depuis le début de l'année. Bien entendu, certains gangsters assez futés se servent de ces étiquettes pour dérouter la police.

Lassner s'était levé, refermait sa gabardine.

— Tu pars? dit Fiore.

Le ton signifiait : tu vas quitter Milan malgré ce drame?

— Oui, je veux être ce soir à Venise. Du travail m'attend là-bas.

— Hé bien, bonne route... Et encore tous mes compliments.

Ils se séparèrent dans l'instant même où, hystériquement, reprenait la sonnerie du téléphone.

4

Le soir, à table, Carlo parle de l'attentat qui a eu lieu le matin même à Milan. De son côté, Marthe mastique sa nourriture à un rythme d'affamée. A son habitude, elle mange en faisant des bruits de lèvres qui agacent son mari.

— Il se confirme, dit Carlo, que l'assassinat du substitut Alberto Scabia est lié à une énorme affaire de capitaux en fuite. « Ordre noir », selon la radio, pourrait y être mêlé.

Hélène s'en moque. Son esprit est loin, à tourner en cercles étroits autour de sa visite à la poste. Mais, comme tous les bavards, Carlo n'a pas besoin d'un auditoire vraiment attentif.

— On respecte la patrie, l'armée, la religion, poursuit-il, mais on n'oublie pas pour autant que l'argent transcende ces nobles valeurs, et les banques suisses méritent, elles aussi, le respect.

Peu après le dîner, Hélène, sous prétexte de migraine, rejoint sa chambre pour échapper aux complaisants commentaires de Carlo sur l'événement. A peine au lit, les mémoires de Ludovico Manin à la main, elle entend Marthe dans le couloir. Marthe veut vérifier qu'elle se sent bien, qu'elle n'a pas pris froid. Marthe sait ou croit savoir beaucoup de choses en matière médicale. Sa pharmacie contient un incroyable échantillonnage de produits qu'elle entasse pour toute éventualité. Elle collectionne également des ouvrages et des revues de vulgarisation sous l'œil ironique de son mari qui, hélas pour elle, est doué d'une santé d'ours polaire.

Elle quitte enfin Hélène. Sur le tableau, l'homme masqué de blanc fait signe à celle-ci de se taire, mais à quoi bon? Elle s'est toujours tue. Elle se taisait déjà avec ses parents comme plus tard avec André, habituée depuis longtemps à dissimuler certaines pensées qu'on interpréterait mal ou qu'on retournerait contre elle. Oui, elle avait su qu'André était marié; oui, elle avait, comme on dit, « étouffé ses scrupules », lasse de ces retours dans la solitude de son logement, par ces tristes soirs de l'hiver parisien.

Avec André avait commencé l'apprentissage d'une autre vie. L'ayant trouvée neuve, à vingt-six ans, il l'avait pliée aux pratiques amoureuses qu'il préférait. Il avait un corps dur, compact, de fortes jambes de joueur de tennis. Volontiers il se montrait satisfait de son propre comportement au lit et il lui arrivait de faire allusion à d'anciennes maîtresses et aux plaisirs qu'il en avait tirés. Parfois, conscient de sa muflerie, il croyait l'atténuer en vantant la qualité de sa jouissance avec Hélène. Il refusait toute sentimentalité et paraissait même éloigné de toute véritable notion de tendresse. Pour vérifier son autorité sur Hélène, il s'ingéniait de loin en loin à décommander leur rendez-vous au dernier moment. A deux ou trois reprises, il avait même dédaigné de la prévenir. Ce qu'il aimait le plus en elle, peut-être : sa docilité, incapable de deviner les sursauts de sa révolte intérieure. C'est avec sa mère qu'elle s'était exercée à cette maîtrise de soi qui la laissait très calme en apparence devant les duretés ou les insolences.

André pouvait se montrer généreux. Il lui faisait des cadeaux, l'invitait à dîner, toujours dans des restaurants ou des auberges loin à l'ouest de Paris. Lui qui aimait le théâtre ne l'y conduisait jamais, avouait sans la moindre gêne sa crainte d'être vu avec elle et blâmé par des gens de connaissance. Une seule fois, il lui avait envoyé des fleurs puis avait jugé cette pratique ridicule. « De toute manière, ça ne te fait même pas plaisir », avait-il ajouté. Cette pente à lui prêter des goûts ou des sentiments qu'elle n'éprouvait pas existait déjà chez sa mère qui, pour lui refuser une robe, se hâtait d'affirmer : « Et puis, tu es si peu coquette! » A se taire, à ne jamais protester, à tenir ce rôle passif qu'on attendait d'elle, il lui arrivait parfois d'étouffer, de se mépriser ou même de se haïr. De son côté, André, qui aimait à se raconter, trouvait en elle la meilleure confidente qu'il eût souhaitée. Lorsqu'il lui parlait de ses problèmes professionnels, il lui révélait un aspect fondamental de son caractère : ambitieux, calculateur, capable d'intrigue, d'habileté manœuvrière. Au sujet de sa femme, Hélène n'avait jamais besoin de l'interroger (elle n'y songeait guère, malgré certaine curiosité). De lui-même, il y venait et toujours pour s'en plaindre, se plaindre — et c'était le cas le plus fréquent — de son manque d'ardeur au lit, de ses tendances « pleurnichardes », de son assommant

« esprit possessif ». (« Toi, au moins, tu as des vues plus larges. ») A l'en croire, au cours des premières années de leur mariage, quelque chose entre eux s'était peu à peu obscurci sans qu'il eût cessé cependant de la ménager par une sorte de pitié dont il disait avoir épuisé aujourd'hui la substance. Mais ces traits qui, aux yeux d'André, expliquaient tout, au vrai n'expliquaient rien et laissaient à Hélène l'impression qu'il existait dans l'esprit d'André des zones troubles qui l'inclinaient à la méfiance.

Cette impression s'aggrava, en une occasion, avec une violence qui la laissa meurtrie. Invitée à une réception de fin d'année organisée par sa propre agence, elle sut que, parmi les invités, figureraient André et sa femme. Du premier mouvement, elle décida de renoncer dans la crainte qu'on s'avisât de les présenter l'une à l'autre. Elle retrouva là cette peur d'elle-même et ce sentiment d'infériorité que lui avait inculqués toute son éducation. Cependant, elle parvint à se dominer, à se convaincre qu'avec un peu de sang-froid elle pouvait se tirer d'affaire. Quand elle vit André manœuvrer pour éviter tout contact entre elle et sa femme, elle respira. De toute manière, l'assemblée était nombreuse et répartie en deux salons, ce qui facilitait son désir d'éloignement. Mais un moment vint où celui-ci fut rompu, de sorte qu'Hélène eut Mme Merrest à quelques pas et ressentit une surprise accablée à découvrir une femme très différente de l'idée qu'elle s'en était faite. Vue de près, rien, absolument rien ne correspondait en effet au portrait qu'André lui en avait suggéré. Se pouvait-il qu'une personne aussi frêle, aussi vulnérable en apparence, ressemblât à cette créature qu'André lui décrivait, plaintive, égoïste, abusive? Tout en s'entretenant avec une de ses compagnes, Hélène pouvait observer cette femme dont l'aspect physique déjà la surprenait, tant elle l'avait imaginée plutôt grande et forte. Or, elle était de petite taille, mince comme une jeune fille, le buste rond, élégante avec discrétion, son visage un peu pointu éclairé par des yeux très clairs derrière leurs lunettes, des yeux au regard intelligent et d'une charmante douceur. Tout en elle, d'ailleurs, exprimait la simplicité, la tendresse, de sorte qu'au jour suivant, lorsque André vint la rejoindre, Hélène lui dit clairement ses doutes.

— Mais ma petite, s'était-il écrié non sans irritation, tu l'as vue deux minutes, tu ne lui as même pas parlé! Que peux-tu savoir d'elle? Pour connaître quelqu'un il faut vivre avec lui, près de lui, tous les jours! Peut-on être naïve à ce point!

Dans son lit, tandis que la pluie vénitienne battait les persiennes de sa fenêtre, Hélène se rappelait tous les détails de cette rencontre, et jusqu'à cette robe couleur lavande, toute simple, que ce soir-là portait la femme d'André.

Durant les jours qui suivirent, elle évita de sortir sous prétexte de mauvais temps. De longues pluies accouraient de la mer et inondaient la ville. Au vrai, cette réclusion d'Hélène se fondait sur un découragement à vivre et des obsessions trop fortes qui la pressaient parfois la nuit jusqu'au fond de son sommeil. Elle attribuait à ce qu'elle appelait sa « lâcheté » le désespoir et le malheur d'Yvonne Merrest. Bientôt, contre cette crise, elle s'efforça de réagir, aida Amalia pour le ménage et se lança dans de longues lectures que favorisaient les richesses réelles de la bibliothèque. Il lui arrivait aussi de cesser toute activité, de s'attarder à sa fenêtre, de regarder l'étroit canal, derrière la maison, sa surface écaillée par l'averse. De loin en loin, une barque passait, abandonnait derrière elle un court sillage. Peu à peu, en elle, le souvenir d'André se lacéra, perdit sa relation avec le présent, davantage par une sorte de corruption de la mémoire que par un véritable effort d'oubli.

Un matin, elle se regarda plus attentivement dans la glace, s'affligea de son teint blême, de ses yeux sans éclat. De son côté, Marthe finit par s'émouvoir de sa mauvaise mine et lui administra des remèdes qu'Hélène accepta docilement. Jamais Marthe ne lui parlait d'André ni de sa femme, convaincue qu'un tel sujet alimenterait sa tristesse et qu'en tout état de cause elle devait y répugner. Lorsque, toujours vêtue de son habituelle robe de chambre cramoisie, elle rejoignait sa nièce, leurs propos en tête à tête tournaient autour de considérations domestiques.

Puis le mauvais temps cessa, mais le ciel resta encombré de nuages entre lesquels une clarté blanche descendait, pénétrait en oblique dans la maison, dessinait dans la bibliothèque un grand oiseau, les ailes ouvertes, qui semblait inciter Hélène à sortir, à retrouver la liberté des rues. En bas, sur le canal, des bateliers défilaient, plus nombreux à présent, dont les voix, amplifiées par la sonorité de ce couloir d'eau, évoquaient une vie puissante, un accord possible entre le monde et le cœur.

Elle dit à Marthe :

— Il va falloir que j'aille chez le coiffeur.

— Bonne idée.

— Et aussi que je trouve du travail.

Marthe l'observa longuement, raide dans sa robe couleur de sang.

— Penses-tu que ce soit possible?

— Je n'en sais rien, dit Marthe. Tu le demanderas à Carlo. Mais tu ferais mieux de te reposer encore quelque temps. Rien ne presse.

Hélène n'osa ajouter qu'une fois installée dans un emploi elle chercherait sans plus tarder un logement indépendant. Elle voulut éviter toute discussion sur ce point, attendre un peu mais sans faiblir sur ce projet. Il lui sembla qu'en ce jour où une certaine énergie lui revenait, elle était comme une actrice à la fin d'un spectacle qui, dépouillée d'un coup du personnage fictif, se retrouvait elle-même, avec des pensées bien à elle, replacée dans sa propre histoire, sans confusion possible avec tout autre destin.

Le soir, elle interrogea Carlo qui ne marqua pas de surprise mais objecta qu'en cette période de chômage et, de plus, en morte-saison, il lui serait difficile de trouver à Venise un emploi à plein temps. « A Mestre, je ne dis pas. » Il lui laissa cependant espérer, dans sa banque, le remplacement pour quelques mois d'une de ses collaboratrices qui, en mars, prendrait un congé de maternité. On aviserait pour la suite.

Avant de quitter Paris, Hélène était allée retirer à son compte en banque tout ce qu'elle possédait. Certes, cela ne faisait pas une somme importante, mais lui permettrait néanmoins de tenir quelques semaines sans être à charge des Risi. De chez le coiffeur, elle se rendit au bureau du quotidien régional pour insérer une annonce et proposer des leçons d'anglais et de français. La vieille dame qui reçut son texte lui jeta par dessus ses lunettes un regard soupçonneux. Elle avait un gros nez rougi par le rhume. Peut-être prenait-elle Hélène pour une de ces étrangères un peu extravagantes, comme on en voit tant par ici, abandonnée dans la Venise d'hiver par un amant lassé.

Dans l'attente des réponses, Hélène se remit l'après-midi à de longues promenades, explora des ruelles, visita des églises. Elle ne pouvait toujours éviter que cette déambulation la reliât de loin en loin à Yvonne Merrest et ravivât son amertume.

Souvent, elle s'intéressait à des maisons où elle aurait aimé se loger, en visitait quelques unes, éveillant une remuante curiosité chez les personnes qui l'accueillaient.

En une certaine occasion, elle fut reçue par une femme sans âge, toute en noir, d'une maigreur qui faisait saillir les os de la face, en dessinait sous la peau tout le squelette de façon assez impressionnante, avec les yeux comme de petits animaux à l'affût dans les trous profonds des orbites.

Elle conduisit Hélène à travers des pièces garnies de meubles sombres. La chambre à coucher comportait un immense lit de fer à boules de cuivre et une armoire à trois glaces où elle se vit dans son tailleur gris, le sac serré sous l'aisselle, le chapeau penché sur le côté par l'effet d'une coquetterie nouvelle.

— Vous êtes Française? demanda la femme d'une voix désabusée.

— Oui, Française.

— De Paris?

— Oui.

— Vous parlez bien l'italien.

— Je viens souvent à Venise.

— Vous connaissez du monde ici?

— J'y ai des parents.

La femme parut méditer ces réponses, tête basse, les mains croisées sur le ventre, de fortes mains aux veines saillantes, à la peau tavelée.

— Ce n'est pas un logement pour vous, dit elle à la fin.

— Pourquoi?

— C'est trop triste. Il n'y a jamais de soleil.

Elle releva les yeux, regarda Hélène en face, avec une expression sévère, presque agressive.

Toujours la brume, en vastes nappes sur la ville qui semblait peinte sur du verre dépoli, en traits minces, peu appuyés, avec des teintes passées allant du gris perle à ce vert qu'on voit à la cassure des vitres. La nuit venue, cette même brume effaçait au loin les torchères de Marghera, la cité industrielle.

Après qu'Hélène eut avoué sa surprise à découvrir en Yvonne Merrest un être différent du portrait qu'il lui en avait donné, André n'avait plus cessé de parler de sa femme que pour en vitupérer « la stupide émotivité », toujours prête, selon lui, à pleurer sur un mot un peu vif, un froncement de sourcils. Et si ces reproches différaient sensiblement des premiers, en revanche ils devenaient plus âpres, comme puisés dans une nouvelle rancœur.

De jour en jour, Hélène s'accordait plus intimement avec cette Venise engourdie dans le froid et en appréciait les soudains et merveilleux changements de lumière. Tout ce décor brouillé pouvait en un instant retrouver des lignes précises ou, d'un coup, surgir de ses rideaux de brume, percés, déchirés par de grandes flèches de soleil.

Quand la fatigue la prenait, elle entrait boire du café dans un de ces minuscules établissements à odeur de vermouth et d'anis, tenus en général par une jeune fille qui la faisait parler. Aux heures creuses, elle prenait une vedette à peu près vide de passagers et se laissait porter sans même en vérifier la destination. Au terminus on la prévenait : « *Signorina, siamo arrivati...* »

Parfois. sa rêverie, par bonds incontrôlables, la ramenait à des moments de sa vie passée ou aux récents
événements qui l'avaient bouleversée. Qu'André revînt
plus souvent sur sa désaffection à l'égard de sa femme
ne l'empêchait pas, cependant et d'une certaine manière,
de la ménager. Elle se souvenait comment, le soir, il
évitait de dépasser une certaine heure lorsqu'il se trouvait en sa compagnie, soucieux qu'on ne s'inquiétât
pas chez lui d'un retour trop tardif. Ou bien il s'irritait
si d'aventure Hélène se parfumait, donnant pour argument que ce parfum pouvait rester sur lui et alerter sa
femme. De telles craintes n'infirmaient-elles pas la profondeur de leur désaccord? Il prétendait qu'Yvonne et
lui faisaient chambre à part. que depuis longtemps
tout rapport physique avait cessé entre eux mais, à
la longue, Hélène s'était mise à en douter, non, certes.
par un quelconque effet de jalousie (sur-le-champ, elle
se serait, sans peine, séparée d'André), mais par une
observation plus aiguë de cet homme tout empêtré dans
ses contradictions, et qui se mentait à lui-même autant.
peut-être, qu'il mentait aux autres.

Chaque nuit. dans sa chambre, dans cette paix qui
lui donnait la sensation de se trouver isolée au sommet
d'une montagne, le personnage au masque, en face d'elle.
semblait toujours l'inciter au silence, au secret. De plus
en plus, cependant, elle devenait consciente que. depuis
son enfance. elle avait gardé une âme sans ailes.
condamnée à se traîner au ras d'une existence étroite.
sans possibilité d'envol ni d'évasion.

5

Après avoir laissé sa voiture à Mestre, chez un ami, Lassner s'était enfin installé dans son appartement vénitien, dûment chauffé pour son arrivée par les soins d'Adalgisa. Le propriétaire de la maison — qui habitait Bologne — depuis longtemps avait délégué ses pouvoirs à la jeune femme. Elle louait donc le second étage à Lassner, le premier étant réservé au propriétaire et à sa famille pour la saison d'été. Quant au rez-de-chaussée, il était inhabitable, tous ses plâtres gorgés d'humidité et ses carrelages soulevés ou enfoncés un peu partout. Un artisan maçon y entreposait des briques et des tuiles et laissait un de ses amis venir y menuiser.

— Nous vous attendions hier, dit Adalgisa, petite, assez ronde déjà aux approches de la trentaine, et toujours enjouée.

— J'ai été retenu à Milan.

— Mon mari me conseillait d'éteindre la chaufferie mais je lui répondais que vous pouviez être là d'un moment à l'autre.

— Riche idée, Ada. Vous êtes une mère.

La veille, en effet, il avait remis son départ, non pas influencé par les raisons d'Ercole Fiore mais pris par le désir de suivre de plus près l'événement. Il éprouvait de la commisération pour la victime, et s'était informé à son sujet. Des confrères s'étaient rendus chez la veuve, l'avaient trouvée digne et courageuse. Aux enquêteurs elle avait déclaré qu'elle n'était jamais au courant des activités professionnelles de son mari mais qu'elle l'avait senti, ces derniers temps, plus soucieux qu'à l'accoutumée. Lassner aurait voulu, à son tour, la rencontrer. Trop tard. Déjà la police faisait barrage. On lui montra, le soir, quelques photographies de Mme Scabia, un visage aux traits fins, le regard d'une infinie tristesse. Très tôt, en ce même matin, il s'était procuré les journaux. Tous reproduisaient en première page ses propres clichés, tous vantaient la présence d'esprit de l'opérateur. « reporter chevronné », disait l'un, en rappelant quelques points forts de sa carrière. On décrivait aussi la scène de l'assassinat d'après ce que lui-même en avait révélé à un de ses camarades de l'Agence. Bien entendu, on publiait aussi des portraits de « l'infortuné » Scabia, « homme de devoir », « magistrat intègre », etc. Lassner examina longuement les portraits, ceux d'un homme jeune, la chevelure épaisse, l'œil vif, le sourire vaguement narquois, et se souvint de l'expression horrifiée qu'il lui avait vue à la seconde où il s'était tourné vers le tueur.

A huit heures environ, comme il partait pour Venise et se trouvait déjà sur le palier, il entendit le téléphone appeler. Un bref instant, il hésita, puis rentra et courut à l'appareil. Une voix morne, un peu traînante, demanda :

— Vous êtes Lassner?

— Que voulez-vous?

On laissa — volontairement? — passer un court silence, puis :

— Nous aurons ta peau!

Lassner garda un instant l'écouteur à l'oreille. Plus que la menace, le passage incongru du *vous* au *tu* avait accroché son esprit. Mais en dévalant l'escalier (l'ascenseur encore en panne!) il n'y pensait plus.

Après avoir dépassé les encombrements, nombreux à cette heure, à la sortie de Milan, il avait allumé la radio de sa voiture dans l'attente d'un bulletin de nouvelles. On évoqua longuement l'assassinat de Scabia sans révéler rien de plus que ce que Lassner savait déjà. Quelques détails cependant l'intéressèrent : Mme Scabia, par exemple, avait confié à ses parents sa fille âgée de sept ans pour lui épargner l'atmosphère dramatique qui, chez elle, l'oppressait. Le parti communiste condamnait formellement cet assassinat. Un ami de Scabia, interrogé, vanta, d'une voix émue, l'esprit de devoir et la haute moralité de la victime. Un autre dit que, ces derniers jours, celle ci recevait, par lettre ou par téléphone, des menaces de plus en plus fréquentes.

Sans tarder, Lassner se mit au travail dans le laboratoire qu'il s'était lui même aménagé. Pour une de ses collections, une maison d'édition de Genève lui avait commandé un album sur le thème « Venise en hiver », et une galerie de Londres l'invitait à exposer des documents de son choix, tirés de ses principaux reportages.

Il aimait cette retraite vénitienne, ignorée de ses

meilleurs amis, et tout particulièrement en appréciait
le silence, surtout le vaste, le noir, l'aérien et apaisant
silence de la nuit.

Sans hésiter, il choisit, pour premier agrandissement,
le visage du meurtrier de Scabia, dont il tira un gros plan
au format demi-colombier.

Lorsqu'il eut terminé, il le fixa sur une cloison de la
pièce d'entrée, braqua sur l'image un petit projecteur.
On eût dit l'agrandissement monstrueux de quelque
rostre d'insecte à cause du casque rond, brun et tout
luisant, du col gris-noir remonté jusqu'à la moitié du
visage et des énormes lunettes de plexiglas striées de
reflets. Ajoutait à l'intensité de cette apparition, le
regard que l'on distinguait dans le creux, derrière les
lunettes, le regard terrible de l'homme furieux d'être
surpris par l'objectif.

Le lendemain, Pagliero vint le rejoindre. Charpentier
de marine, il se trouvait pour l'heure sans emploi et,
selon son expression, « bricolait » pour des particuliers
dans le local que lui prêtait, au rez de chaussée, son
ami maçon.

Pour Lassner, il aurait à préparer les châssis et les
surfaces en contre-plaqué sur lesquelles il marouflerait
ensuite les agrandissements photographiques sélection-
nés pour Londres.

Plus âgé que Lassner, costaud, le nez en l'air, la
tignasse crépue, il regrettait son ancien métier, la vie
du bord, les escales. Il n'avait jamais navigué qu'en
Méditerranée sauf en une seule occasion où, sur un

cargo, il avait touché Amsterdam, et se rappelait le quartier réservé, les filles en vitrine et les élans voluptueux qui lui étaient venus.

De la lecture de la presse, qui mentionnait l'enquête de Scabia sur d'importantes fuites de capitaux, il déduisait que les néo-fascistes d'« Ordre noir » avaient dû exécuter ce meurtre pour le compte de puissances financières auxquelles ils se trouvaient organiquement liés.

Contre « Ordre noir » il avait un motif de haine tout personnel. Un dimanche, au temps de son service militaire à Tarente, dans la Marine, il avait bel et bien failli rôtir tout vif, victime d'une opération punitive des « Noirs » contre un Cercle populaire qu'il fréquentait. En plein jour, on avait, sous la porte, répandu de l'essence dont la nappe s'était mise à couler sur le carrelage du hall d'entrée, en direction de la bibliothèque où lui même se trouvait. Une allumette avait tout embrasé. En quelques secondes le feu s'était propagé dans la salle de lecture, alimenté par les boiseries, les journaux et les livres. Lui s'en était tiré de justesse, avec une cheville cassée, en sautant dans la cour. Placé devant l'agrandissement du tueur, il l'examina longuement, les mains accrochées aux bretelles de sa salopette.

— Tu vas garder ça longtemps sous les yeux?

— Pourquoi pas?

— Pour mon goût je préférerais l'image de quelque jolie fille, ce serait beaucoup moins déprimant. De plus, ce type t'en veut à mort, ça se voit.

— En effet, dit Lassner amusé.

— Je peux te prêter un très joli Berreta, un vrai bijou.

— Jamais d'arme.

— Mais pourquoi?

— Contraire à mes principes.

— Si tu veux savoir, moi, les gens à principes...

— Que ça ne nous empêche pas de déjeuner ensemble. Je t'invite dans un petit restaurant, pas loin d'ici, où on te sert du soleil en bouteille.

— Je suis ton homme, dit Pagliero.

Mais il s'attarda quelques secondes encore devant l'agrandissement sur le mur, comme fasciné par ce regard, son expression d'impitoyable cruauté.

6

Décidément, personne ne répondait à son annonce, et Hélène commençait à désespérer, à douter de son idée. Après une période de répit, l'inaction de nouveau favorisait le retour des plus déprimants souvenirs.

Un après-midi, elle pénétra dans une église, non par dévotion ou dans l'espoir de quelque apaisement — on l'avait élevée dans l'incroyance et, dans son adolescence, les mystères de la foi l'avaient à peine troublée —, mais pour fuir un orage qui s'abattait. Elle se trouva seule, assise dans la pénombre avec, au fond, un buisson de cierges qui créaient une sorte d'aurore au pied d'une figure sainte, une Madone parée d'un manteau de velours évasé par le bas, une couronne scintillante sur la tête, le visage poupin, le regard au ciel avec une expression extasiée et, à la vérité, un peu niaise.

Dans cette nef toute bourdonnante sous la pluie qui l'assaillait, elle se rappela que, depuis cette réception de l'Agence, André s'était montré plus empressé auprès d'elle, plus attentif, mais sans jamais, à son habitude, formuler le moindre compliment, ce « sirop » sentimental qu'il abominait. Lui qui se vantait de bien connaître les femmes, s'il en avait une expérience réelle, n'avait rien appris de leur sensibilité, peut-être par indifférence

— un corps lui suffisait —, plus probablement par une incapacité foncière à pénétrer leur psychologie. Volontiers, il avouait son aversion pour les intellectuelles et de loin, disait-il, leur préférait les filles du type « végétal » dans lequel, non sans une ironie un peu lourde, il la classait.

Ensuite, il y avait eu cette affreuse soirée si chargée de présages. Comme à l'accoutumée, André l'avait rejointe mais dès son arrivée lui avait paru sombre, préoccupé par quelque violente contrariété qu'il lui taisait, mais à laquelle, d'instinct, elle s'était sentie liée.

Peu après, sans lui donner la moindre raison, il avait soudain décidé de repartir. Elle se souvenait même qu'elle avait voulu l'aider à passer son manteau et qu'il en avait marqué une certaine impatience. Elle l'avait entendu, au pied de l'immeuble, lancer rageusement le moteur de sa voiture, et s'était précipitée à la fenêtre. Sur l'avenue, et non sans un serrement de cœur, elle avait regardé les feux arrière s'éloigner, filer dans le crépuscule.

Chez lui, André, surpris par le silence de l'appartement, avait appelé. La domestique était absente pour la journée. Personne dans la chambre. Puis il avait trouvé la salle de bains ouverte, Yvonne dans la baignoire, les poignets tailladés, plongée jusqu'au menton dans une eau rouge.

Les jours suivants, Hélène les vécut à l'affût des nouvelles de cette clinique d'Auteuil où Yvonne Merrest avait été transportée. Chaque nuit, elle gardait la lampe allumée, incapable de rester dans l'obscurité, tirée de ses moments de sommeil par une angoisse qui l'étouffait.

Dès qu'il eut l'assurance que sa femme était hors de danger, André courut chez Hélène, mais elle ne lui ouvrit pas. Verrou tiré (car il avait ses clefs), elle resta coite au fond de sa chambre à l'écouter malmener la porte et la sonnerie. Peu après, au téléphone, il lui reprocha ce comportement auquel il dit ne rien comprendre.

Elle déménagea, s'installa dans un hôtel de la rue des Saints-Pères, mais au jour suivant, sans qu'elle sût comment, il l'avait retrouvée.

Dans le froid de cet après-midi de novembre, après leur rencontre dans ce café, sur le quai Saint-Michel, ils marchèrent le long de la Seine. André admettait son émotion, la trouvait légitime, protestait cependant contre ce qu'il appelait « une conduite infantile ». Le geste de sa femme? Oui, au cours d'une scène, il lui avait jeté au visage sa liaison avec Hélène. Et que cela durait depuis deux ans! Que, si le fait lui était insupportable, elle avait à portée de main la solution. Après tout, le divorce, cela existait! Il l'avait laissée à son effondrement. Ensuite, chez Hélène, une crainte lui était venue.

Elle se souvenait que, le regard sur un long train de péniches qui remontait la Seine, elle avait pris la mesure d'un égoisme et d'une cruauté qui l'indignaient. Le ciel bas diffusait une lumière qui accentuait les contours, donnait plus de relief à tous les éléments du paysage, les arbres de la berge, les tours de la Conciergerie. Elle se souvenait aussi qu'elle avait dit alors d'un ton égal mais ferme : « Nous ne devons plus nous revoir », et que, d'abord stupéfait, puis outré, il avait réagi avec une vigueur telle — lui serrant le bras dans sa poigne — que des promeneurs s'étaient retournés sur eux. Mais il demandait des explications, les exigeait. Hélène dit : « Cette femme t'aime et je refuse de contribuer à la faire souffrir. » Et lui, véhément : « Mais moi je ne l'aime pas, je ne l'aime plus! » Un homme qui promenait son chien s'arrêta, se mit à les observer, comme prêt à intervenir. Doucement, Hélène se dégagea, fit admettre à André que le lieu et le moment étaient mal choisis pour un entretien aussi grave. De toute manière, elle maintenait son refus de prolonger une liaison qui avait abouti à ce drame. Déjà la nuit venait. Le fleuve se déchirait aux piles d'un pont. Ils se séparèrent, lui toujours agité, presque menaçant, elle, bouleversée, mais d'autant plus résolue qu'elle avait déjà retiré son billet pour Venise.

Enfin, adressées chez Carlo, quatre réponses lui parviennent dans une même enveloppe, expédiées par les services publicitaires du journal. L'une est signée d'un vieux monsieur, Kurt Hölterhoff, qui souhaite trois cours de français par semaine. L'écriture en est vive, anguleuse, la barre du t terminal toujours plus étirée que les autres. Hélène n'a aucune expérience graphologique et ne sait qu'en déduire, pour intriguée qu'elle soit. De même pour une correspondante qui signe Fiorenza Poli, et qui désire, elle, des séances quotidiennes de lecture d'auteurs français, en précisant « classiques et contemporains ». L'écriture, cette fois, en est très haute (prétentieuse, juge Marthe) avec des majuscules contournées. On doit, ajoute cette dame, prendre rendez-vous par téléphone. A la fin de sa lettre, elle inscrit en effet son numéro mais non son adresse. Un jeune homme — « j'ai dix-huit ans », dit-il dès le début —, aimerait perfectionner son français mais demande qu'Hélène précise d'avance ses prétentions, le mot souligné de rouge. Enfin, une mère de famille voudrait des leçons d'anglais pour son fils, neuf ans, qui possède déjà quelques rudiments de cette langue. Cette lettre-là a été écrite par quelqu'un d'autre que la cor-

respondante comme le prouve la signature, manifeste
ment d'une autre main.

La nuit qui suivit fut la moins tourmentée qu'elle eût
vécue depuis son arrivée. Que son initiative se révélât
si prometteuse la confirmait dans l'idée qu'elle avait
bien fait de quitter Paris, de tout abandonner derrière
elle, de fuir André. Peut-être une autre Hélène pour
rait-elle naître ici, mais elle en doutait. La crise qu'elle
avait subie maintenait toujours en elle son pouvoir
d'érosion, et elle se croyait vouée désormais à elle ne
savait quels renoncements définitifs, quelle limitation
d'elle-même, quel appauvrissement de sa vie.

Elle commença par une visite à sa dernière correspondante pour une raison élémentaire : celle ci habitait
le quartier voisin du sien, non loin de l'église des Car-
mini, où quelques jours plus tôt elle s'était réfugiée
pour échapper à l'orage.

La femme qui l'accueillit était jeune et vive, très
souriante. Pour sombre qu'il fût, son appartement au
rez-de-chaussée paraissait très vaste. De nombreuses
portes perçaient les murs chaulés. Tout était net, les
meubles astiqués, la vaisselle étincelante, et au plafond
le lustre de Murano, en pâte de verre rose et bleue,
était protégé par une enveloppe de cellophane.

La femme fit asseoir Hélène, lui offrit du café. C'est
elle qui avait eu l'idée de ces leçons d'anglais pour
son fils Mario qui, pour le moment, se trouvait en
classe.

— Mon mari travaille à la Montecatini, vous savez,

l'usine d'aluminium à Marghera. Il est communiste, et il aurait préféré que Mario apprenne le russe. Moi, je lui ai dit : nous ne connaissons personne en Russie. Avec l'anglais, plus tard, si Mario ne trouve vraiment pas de travail ici, il pourra toujours partir pour l'Australie chez son oncle Alberto. Mon frère est installé là-bas. Il dirige un petit chantier naval. Il construit des barques et il gagne bien sa vie.

Ensuite la conversation dévia et, tout en servant le café, la femme l'interrogea sur sa présence à Venise (Hélène prétexta des recherches historiques) et, lorsqu'elle sut son désir de se loger de façon indépendante, lui signala aussitôt un appartement voisin dont elle avait la charge. Il était meublé, et très convenablement. Bien chauffé aussi. Attention! Disponible seulement jusqu'en août. Elle le décrivit sous des aspects si avantageux qu'Hélène accepta de le visiter.

La maison, en effet, était toute proche, avec une façade craquelée et des contrevents verts. Les trois pièces du premier étage, Hélène les trouva à son goût, bien disposées, deux sur la ruelle, une sur le canal. Cuisine et salle de bains étaient minuscules mais agréables. Toutefois, la tapisserie de la chambre principale, surchargée d'oiseaux exotiques, lui fit mauvais effet : des sortes de quetzals, à longue queue tirebouchonnée, voletaient sur les murs dans un décor de feuillages couleur de bile. Mince inconvénient car la logeuse lui vantait la qualité de la literie (« regardez ce matelas, de la vraie laine! »), l'abondance et la variété de la vaisselle, la commodité du chauffage avec des radiateurs partout. Et l'avantage de la tranquillité! L'unique locataire du dessus n'habitait pas à demeure et l'homme

qu'on entendait en bas, au rez-de-chaussée, n'était là
que pour un temps.

On s'accorda sur les modalités de la location, on prit
date pour l'emménagement et on finit par convenir qu'en
échange des leçons la jeune femme, deux ou trois fois
la semaine, l'aiderait pour la lessive et le ménage. Elle
s'appelait Adalgisa Massina, avait sensiblement l'âge
d'Hélène et, enchantées l'une de l'autre, elles s'embras-
sèrent en se quittant.

L'après-midi, avant de rejoindre Kurt Hölterhoff,
avec qui elle avait pris rendez-vous par téléphone, elle
passa à la poste restante pour y retirer son courrier.
De Paris on lui avait retransmis quelques lettres sans
importance dont une relative au studio qu'elle avait
libéré.

Kurt Hölterhoff habitait, près de l'Arsenal, une maison qui donnait sur un *campo* orné au milieu d'un ancien
puits aux belles ferronneries enguirlandées de lierre.
Une vieille dame vint lui ouvrir, grande, grise, distinguée.
Elle était la sœur de M. Hölterhoff. D'un pas mécanique, celui-ci descendit la rejoindre. Il était de haute
taille, lui aussi, maigre, le nez spinuleux, les oreilles
translucides. Il conduisit Hélène dans une pièce encombrée de dossiers et de livres. Tout au fond, dans un
angle, une vitrine attirait le regard. Elle abritait une sorte
de mannequin noir d'aspect funèbre. Ce M. Hölterhoff
devait avoir plus de soixante-dix ans, et qu'à cet âge
il désirât se perfectionner en français surprit un peu
Hélène. Elle accepta la somme tout à fait convenable

qu'il lui proposa pour des séances de conversation sur des thèmes à choisir en commun. Cette première entrevue fut si agréable (le vieillard manifestait une courtoisie un peu raide mais vraie) qu'elle en oublia le malaise provoqué par ce fantôme figé dans la vitrine.

Ce fut moins agréable, dans la soirée, lorsqu'elle se trouva affrontée à la signora Fiorenza Poli. Celle-ci avait elle-même fixé l'heure de la visite en la priant, d'un ton bref, de se montrer ponctuelle. Une domestique au teint cireux accueillit Hélène, la conduisit en silence auprès de sa maîtresse, une femme énorme, une vraie montagne de chair, le visage bouffi. Dans une longue pièce calfeutrée, étouffante, encombrée de meubles lourds, de potiches, de plantes vertes, avec d'épais rideaux masquant les fenêtres, elle se tenait allongée sur un sofa, une couverture sur les jambes, le téléphone à portée de la main. De ses petits yeux méchants, enfoncés dans la graisse, elle observa Hélène pour vérifier l'impression qu'elle lui faisait. En guise de bienvenue, elle dit avec dédain :

— Pour une Parisienne, vous êtes plutôt fagotée. Ce tailleur est démodé. Je m'attendais à autre chose. A plus de classe!

Hélène en resta interloquée, l'esprit paralysé comme naguère encore face à André, si enclin lui-même aux insolences, aux coups de griffe.

Mais Mme Poli la pria de s'asseoir, lui désigna un fauteuil d'un geste de tout le bras, un bras nu jusqu'au coude, gras et blanc, geste qui fit tinter ses bracelets et scintiller ses bagues. Toujours dans un excellent français, elle expliqua qu'elle était diabétique, que sa vue n'était pas bonne à cause d'un début de cataracte, ce qui entraînait pour elle des soins quotidiens et lui interdisait de lire ou de suivre la télévision. Certes, elle avait la ressource des cassettes et des émissions radiophoniques mais, en général, ce n'étaient que bavardages et puérilités, à l'exception toutefois des postes allemands et de leurs admirables concerts symphoniques. L'idée d'utiliser une lectrice lui était donc venue, férue comme elle l'était de littérature française, et un ami lui avait signalé la petite annonce d'Hélène. Assez théâtralement, elle montra les rayonnages bourrés de livres qui recouvraient tout un mur.

— Il y a là les trésors de votre culture. Je ne sais, mademoiselle Morel, si cela vous convient. Plutôt qu'à me lire des chefs-d'œuvre, peut-être vous attendiez-vous à me vendre de la grammaire? (Et, prononcé par elle, le mot grammaire évoqua une matière bassement vulgaire!)

Que répondre? A Marthe, le soir, elle devait dire que devant cette femme elle s'était sentie « comme un lapin fasciné par un python ».

Mme Poli parlait vite, et sa minuscule bouche de poupée serrée entre les joues épaisses, fardées de rose, semblait bouger à peine. Parfois, d'inquiétantes lueurs passaient dans ses yeux, laissaient imaginer en elle des rancœurs inassouvies. Elle interrogea Hélène longuement, sans ciller, en tapotant parfois les boucles de ses cheveux avec une coquetterie affectée. Que faisait-elle à Venise en cette saison? Pourquoi s'y trouvait-elle? Et pour combien de temps? Et comment pouvait-on préférer à Paris cette ville-marécage? La perceptible insincérité des réponses la mécontenta :

— Je vois, vous ne voulez rien me dire. Cela vous regarde, en effet. Mais, comprenez bien, je ne peux recevoir n'importe qui chez moi. Les aventuriers, aujourd'hui comme hier, ne manquent pas ici. Enfin, nous verrons. Je vous paierai bien, puisque c'est de l'argent que vous voulez. Je vous réglerai par chèque. Ne craignez rien. Mon mari est très riche. C'est un assez méprisable individu. Il vit à Rome mais il m'envoie ponctuellement la part qui me revient. Contraint et forcé. Mes avocats y sont intéressés et ne le lâchent pas d'un pouce.

Et, presque sans transition, le buste et la tête appuyés à un entassement de coussins, elle désigna un livre pour qu'Hélène lui en lût un passage. Il s'agissait des *Liaisons dangereuses*.

— Je suppose, dit Mme Poli, que vous n'en avez jamais entendu parler. C'est un chef-d'œuvre authentique. Bonne occasion pour vous de vous y frotter. Nous allons surtout vérifier si vous pouvez convenir. Tâchez de ne pas ânonner.

De cette petite épreuve, Hélène se tira bien et fut agréée. On fixa les séances de deux à quatre heures de l'après-midi, tous les jours sauf le dimanche. Pour Hélène, satisfaite de n'être plus désœuvrée, les avantages d'un tel engagement méritaient qu'elle supportât quelques accrocs à son amour-propre, ce que Marthe désapprouva. De façon générale, elle déplorait que sa nièce fût si mal adaptée à une époque aussi dure, impitoyable aux âmes trop tendres. Elle l'eût préférée rugueuse, combative, sachant riposter aux coups. Cette malheureuse fille s'en serait mieux trouvée, et n'aurait jamais accepté une liaison si longue avec un André Merrest, qu'elle jugeait « sadique et malade d'orgueil ».

Au dernier correspondant, qui habitait relativement loin, aux abords de l'ancien ghetto, et dont elle ne put trouver dans l'annuaire le numéro de téléphone, Hélène écrivit pour lui fixer, comme il l'en priait, ses « prétentions ». Elle s'occupa également d'emménager dans son nouveau logis, après avoir convaincu Carlo du bien-fondé de sa décision. Pour transporter ses bagages, elle sollicita l'aide d'Antonio, le mari d'Amalia. Le maçon se trouvait dans un immeuble voisin, occupé à réduire une infiltration qui avait inondé des pièces en contrebas.

— L'eau! dit-il du ton accablé d'un homme qui lutte sans illusions contre un fléau. Ici elle monte sans arrêt. Ou plutôt, c'est nous qui nous enfonçons.

— Que peut-on faire? demanda Hélène, toute frissonnante dans cette humidité à odeur de vase.

Et lui, éclairé violemment par une lampe à acétylène :

— Que voulez-vous qu'on fasse? C'est comme la mort. Nous nous y enfonçons aussi. Tôt ou tard, c'est elle qui gagne.

Au matin suivant, Hélène s'installait chez elle, ses valises — coltinées par Antonio — ouvertes sur le lit. Adalgisa l'avait rejointe, poussait les persiennes, vérifiait les radiateurs, retirait les housses qui recouvraient les fauteuils, s'extasiait sur des pièces de linge qu'Hélène rangeait dans la commode. Elle s'amusa d'un soutien-gorge :

— Mon Dieu, que vous avez de jolis seins! Moi, les miens n'entreraient plus là-dedans!

Peu après, elles entendirent le locataire de l'étage au-dessus qui descendait l'escalier d'un pas rapide.

— Il travaille à Milan pour les journaux. C'est lui qui a photographié l'assassinat du juge Scabia. Vous avez dû voir ça!

Hélène dit qu'elle n'était pas au courant, que ces temps-ci elle n'avait pas lu la presse, mais se souvint qu'en effet Carlo avait, devant elle, commenté cette affaire.

— Vous vivez dans les nuages, dit Adalgisa avec bonne humeur.

En repartant, elles trouvèrent, au rez-de-chaussée, la porte de l'atelier ouverte. Ce local prenait jour sur la rue par une fenêtre basse. Alimenté par des débris de planches, un feu brûlait dans la cheminée aux parois beurrées de suie. Au fond, dans la pénombre, des rangées de briques, des sacs de ciment, une brouette. Tout cela, un peu caverneux.

Lassner et Pagliero, l'un en gabardine, l'autre en salopette, s'entretenaient près de l'établi. Ils se tournèrent vers les deux femmes.

— Voilà notre nouvelle voisine, dit Adalgisa. N'est-ce pas qu'elle est belle? Et douce? Et gentille?

— Tout le contraire de toi! dit Pagliero, sa tignasse et son visage léonin frappés de biais par les lueurs du feu.

— Ne l'écoutez pas! C'est un grossier individu! s'exclama la jeune femme en riant.

Mais Hélène sentait sur elle le regard de Lassner, et

ce regard semblait pénétrer jusqu'au fond d'elle-même, la brûler en dedans. Malgré sa timidité, une audace lui vint, et à son tour elle le fixa hardiment.

— Pourquoi ne pas fêter votre installation ici? Ne dit-on pas chez vous : « pendre la crémaillère »?

— Je veux bien, dit-elle, saisie d'un trouble heureux.

— A la bonne heure!

Adalgisa battit des mains :

— C'est une merveilleuse idée!

De nouveau seule, et tandis qu'elle rejoignait Carlo et Marthe pour le déjeuner, elle se sentit jeune, vraiment jeune, et toute neuve, comme si jamais un homme à ce jour ne l'avait touchée.

Dans la semaine qui suivit, Hélène pour ses leçons n'eut aucune difficulté avec M. Hölterhoff ni avec le jeune Mario, le fils d'Adalgisa, un gamin vif d'esprit, très « copain » et qui, lorsqu'il en avait assez, le disait tout tranquillement, s'excusait tout juste et s'en allait jouer.

Mais avec Mme Poli, elle devait rester constamment sur ses gardes. La dame ne manquait jamais une occasion de la gourmander sur des points sans relation aucune avec son rôle de lectrice :

— Vous ne vous fardez donc jamais? C'est ridicule. Vous avez, comme ça, l'air d'une endive!

Au jour suivant, elle voulut savoir si Hélène avait un amant.

— Non? Je me demande ce que vous faites à votre âge! Ce n'est pas sain. Vous vous habillez mal, mais vous êtes bien tournée. Et puis, vous devriez changer votre coiffure. Vous vous coiffez comme une gardienne de prison!

Et de lui conseiller, si elle prenait un amant, de choisir un homme du Sud.

— Ce sont des sauvages mais, croyez-moi, ils sont bien plus chauds que les autres. Et ils ne perdent pas du temps, eux, à vous faire des phrases. Tout de suite à l'action.

Après la première heure, elle fixait une pause au cours de laquelle la domestique, alertée par une sonnette, venait servir du café et des galettes de régime qui s'effritaient sous les doigts. Mme Poli employait ce répit non à commenter l'œuvre en cours de lecture, mais à charger son mari, à le peindre toujours comme un monstre de cynisme et d'ingratitude.

— Sans moi, jamais il n'aurait conquis une situation comme la sienne. Il n'est pas intelligent. Le cerveau, c'était moi! J'ai dû le pousser dans sa carrière comme on pousse un âne qui refuse d'avancer. En guise de reconnaissance, figurez-vous qu'il me trompait. Il avait l'impudence de me tromper! Et, notez bien, dans la période où j'étais jeune et belle, et pas maladroite au lit! Au contraire! Tranquillisez-vous, s'il m'a fait « cornuda », je le lui ai bien rendu. Et avec ses meilleurs amis!

Et de rire! Quand elle riait, ses yeux se rétrécissaient tandis qu'elle ouvrait sa minuscule bouche rose pâle et montrait ses dents, menues et serrées comme celles des murènes ou des congres.

Hélène l'écoutait sans jamais dire un mot, avec une attention réelle, tant cette femme lui révélait par bribes un univers insoupçonné de mépris, de haine, et ne cessait de la surprendre. A la fin d'une séance, elle lui fit cadeau d'une magnifique écharpe :

— Prenez, dit-elle. Cela vous ira bien.

Le samedi suivant, en soirée, et selon la suggestion de Lassner, Hélène réunit chez elle Adalgisa et Learco, son athlétique mari (il mesurait un mètre quatre-vingts), ainsi que le couple Amalia-Antonio; mais Marthe dut venir seule, Carlo participait jusqu'au dimanche à un tournoi de bridge organisé par son Cercle. Il envoya deux bouteilles de *grappa*. De son côté, Pagliero arriva accompagné d'une amie qu'il avait annoncée comme le sosie de Gina Lollobrigida mais, toute bonne fille qu'elle fût, cette Anna-Maria ressemblait très peu à l'actrice et davantage à un pruneau. Lassner était présent, et avait apporté du champagne et des roses mais, jusqu'au dernier moment, Hélène avait craint qu'il ne s'absentât. Selon Adalgisa, il lui arrivait de quitter subitement Venise pour Milan ou Rome. Elle ne l'avait pas revu depuis la rencontre dans l'atelier de Pagliero, cependant elle l'entendait là-haut, aller et venir au-dessus d'elle, et ce bruit, cette présence, suffisaient à la tirer de cette prison où son esprit parfois s'épuisait à tourner.

Enfin, il était là avec sa nonchalante assurance, son regard qui paraissait tout voir, tout capter et qui, s'il se posait sur elle, l'isolait des autres, la séparait d'elle même à croire qu'elle était sans mémoire, sans passé, tout entière rassemblée dans le présent. Elle aurait voulu être belle, agréable à regarder et, pour cette soirée, elle avait suivi le conseil de Mme Poli et s'était légèrement fardée. Sans malice, Marthe dès son arrivée lui avait dit :

— Vraiment, l'air de Venise semble te faire du bien.

Lassner et elle purent s'entretenir un court moment, debout près de la fenêtre au-delà de laquelle la tranchée du canal, dans l'obscurité de la nuit, donnait l'impression d'un gouffre sans fond. Il lui dit qu'il préparait son exposition et passait des journées entières à ses agrandissements, enfermé dans son laboratoire. « Avec toutes ces heures dans le noir, je me fais l'effet d'une taupe. » Mais il en aurait terminé bientôt et sortirait enfin, pour jouir du charme de la Venise hivernale.

Il fallut se séparer, Hélène se devant à ses invités, mais elle eut le sentiment qu'en ces brefs instants, Lassner s'était étrangement rapproché de sa vie.

Peu après, dans cette atmosphère de gaieté, lorsque Pagliero appela toute l'assemblée à goûter le champagne, une peur lui vint, la peur d'interpréter des signes, somme toute assez vagues, selon une aspiration qu'elle ne gouvernait pas.

DEUXIÈME PARTIE

Lassner

1

Depuis les premiers jours de décembre, la ville se préparait pour les fêtes. Déjà certains magasins illuminaient leur devanture et des restaurants affichaient leur menu de réveillon. A deux reprises Lassner invita Hélène et Pagliero dans un petit café-restaurant, le *Veneto*, en bordure du Grand Canal, dont le patron s'appelait Bruno et proposait à ses meilleurs clients d'odorantes cigarettes bulgares. Hélène apprécia d'autant mieux ces rencontres et cette amitié que, la nuit, de mauvais souvenirs lui revenaient auxquels se mêlait l'image d'Yvonne Merrest vidée de sang.

La première fois, en compagnie des deux amis, elle se montra très réservée, mais cette réserve provenait surtout d'une émotion provoquée par M. Hölterhoff. Au cours de cette soirée et à l'instant de se quitter, il lui avait appris, sans qu'elle l'eût sollicité, que l'uniforme et les objets qui l'intriguaient dans la vitrine avaient appartenu à son fils unique, Walter. Dans les tout derniers jours de la guerre, le char qu'il commandait avait sauté sur une mine. On l'avait retiré de l'engin gravement blessé. Malheureusement, il n'avait pu recevoir à temps les soins que son état requérait. Il était enterré dans un cimetière de village, non loin de Venise et, pour cette raison, Hölterhoff s'y était fixé. Hélène avait regardé la photo du garçon, ce visage jeune et souriant, marqué, lui sembla-t-il, d'une légère mélancolie. Dehors, elle ne retrouva plus ce sentiment de bonheur qu'elle éprouvait depuis le matin, depuis que Lassner, rencontré devant l'atelier de Pagliero, lui avait donné rendez-vous pour le soir.

La seconde fois, elle montra, selon l'expression de Pagliero, « meilleure figure ».

— Vous travaillez trop, mademoiselle Hélène.

Elle revenait de sa première leçon au jeune Sardi qui, à la fin, avait accepté ses « prétentions » et, à sa lettre, avait ajouté l'itinéraire à suivre pour trouver sa maison non sans — bizarrement — la prier de « détruire ce document après usage ». Dans une villa ancienne, d'un charme désuet, dont le jardin, orné de statues mangées de mousse, donnait sur le Rio Nuovo, elle avait rencontré un adolescent pâle et frêle, entouré de serviteurs muets. Malgré son expression maussade, et son amabilité un peu distante, il s'était montré très attentif tout au long de la séance.

Au *Veneto,* une sorte de gaieté lui vint tant, dès l'entrée, elle se sentit confiante, intimement protégée de la nuit. Lassner devinait-il l'intérêt qu'il éveillait en elle? Hélène en doutait car, par moments, il lui paraissait un peu lointain. Elle l'observait pendant le repas, regardait sa main brûlée qui imposait à son esprit l'idée d'une existence aventureuse.

Ils parlèrent de l'album que Lassner préparait.

— Quand le commencerez vous? dit elle.

— Je préfère en finir d'abord avec l'exposition.

— Et c'est long, dit Pagliero, le nez dans son assiette.

— Mais je vais m'y mettre bientôt, poursuivit Lassner. Ce travail m'excite beaucoup, bien que j'en sache les difficultés. En hiver, Venise est faite seulement pour ceux qui aiment, et désespère les autres, ceux qui ont le cœur vide.

Cette remarque était-elle intentionnelle? Il l'avait dite en souriant, mais Hélène se méfiait des mots.

— Et puis, j'apprécie assez l'irrationnel et, en cette saison, Venise est parcourue par des fantômes qu'en été la foule et le soleil effarouchent. Comment exprimer en images tout ce mystère?

Visiblement, il s'amusait. Hélène demanda à qui on allait confier la présentation de l'ouvrage.

— L'éditeur pense à Moravia, mais Moravia déteste Venise et, en général, tout ce qui est plus ou moins aquatique. La vue d'une gondole lui donne le mal de mer.

— Et vous? A qui penseriez vous?

— A Michel Tournier.

— Pourquoi lui?

— C'est un écrivain pour qui la photographie est une passion intelligente.

De la soirée précédente, Hélène avait retenu comment Lassner avait été pris, lui aussi, de cette passion. Avant son service militaire, il était typographe dans une entreprise qui publiait un hebdomadaire illustré. Comme il était féru de football, on lui confiait parfois le compte rendu d'un match, à charge pour lui d'en rapporter aussi des photos. On lui garantissait seulement l'entrée du stade et le remboursement des films. Démobilisé, il n'avait pas retrouvé son emploi à l'imprimerie, mais un quotidien l'avait engagé comme reporter photographe. Dans le domaine technique, il avait déjà beaucoup appris. Restait un autre apprentissage. Un matin, on l'expédia dans une carrière où un ouvrier venait d'être enseveli sous un éboulement. Les sauveteurs travaillèrent si vite qu'ils le dégagèrent mais il mourut entre leurs bras. Trop bouleversé, Lassner ne prit aucun cliché. On le blâma. Par la suite, il sut mieux discipliner ses nerfs, aiguiser ses réflexes. L'affaire Scabia en était la preuve la plus récente. A la longue, l'ambition lui vint d'utiliser la photo pour « fixer des instants d'éternité » (sourire!). D'où ces quelques albums (quatre à ce jour) que des amateurs appréciaient.

2

Près de Lassner, Hélène découvrait qu'elle n'était pas condamnée à toujours revenir en arrière, à se retourner, à se fuir. Elle ne savait encore comment se situer claire ment à l'intérieur de cette liberté, mais elle s'y engageait sans se blesser, sans en évaluer les limites. Une énergie qui dormait en elle s'éveillait, l'inclinait à l'enjouement, aux nouveautés, aux rencontres.

Un matin, poste restante, deux lettres l'attendaient. L'examen des enveloppes la troubla. Si elles étaient rédigées à la machine, les cachets d'origine indiquaient un village de l'Oise, un village où André possédait une propriété. Qu'il eût découvert son adresse ne la surprenait pas. Elle avait toujours pensé que, tôt ou tard, il y parviendrait. Il la relançait donc, sans tenir compte du drame de sa femme, ni de sa propre volonté de rompre. Mais qu'avait-elle espéré d'un homme tel que lui? Qu'il accepterait sa décision, qu'il se résignerait? Pour lire, elle se dirigea, son sac sous le bras, les lettres tenues à deux mains devant elle, vers le puits, au centre du hall. Dans ce mouvement, elle fut abordée par deux jeunes gens, tous deux vêtus d'un blouson de toile imperméable et d'un jean serré à la taille par une ceinture à grosse boucle de cuivre.

— Mauvaise nouvelle, belle signorina? demanda iro-
niquement le premier.

Agacée, Hélène s'écarta. Irait-elle jusqu'au puits?
Elle y renonça, voulut revenir sur ses pas.

Mais, ensemble, ils lui barrèrent le passage. Personne
ne prenait garde à la scène. Elle regarda les deux garçons,
leur crinière, leur sourire goguenard.

— Laissez-moi, dit-elle fermement.

— Pas avant que nous vous ayons dit que vous êtes
très sexy, dit l'un.

— Merci.

— Toutes les Vénitiennes...

— Je ne suis pas Vénitienne. Laissez-moi passer.

Elle voulut les contourner. L'autre garçon, qui portait
une pierre rose fichée au lobe d'une oreille, se pencha
vers elle :

— Vénitienne ou non, faites l'amour avec nous et vous
ne serez plus triste.

Difficile à leur accent de deviner leur nationalité. Cela
importait peu. L'essentiel était de se dégager et d'éviter
le ridicule. Brusquement, le premier, d'un geste inattendu,
étonnamment prompt — le coup de patte d'un chat —,
lui arracha les lettres et, tout aussi rigolard que son
compagnon, lui dit :

— Laissez-le tomber. Promettez de faire l'amour seulement avec moi et je vous les rends.

— Sinon, il les déchire! s'exclama l'autre.

Derrière l'un des guichets, un employé, intrigué,
observe les trois personnages dont le comportement lui
paraît insolite. Hélène ne l'a pas vu et il n'impressionne
pas les deux garçons. A eux deux, ils n'ont guère plus de
quarante ans. Celui qui brandit les lettres au-dessus de

sa tête s'amuse de l'embarras d'Hélène. Elle ne sait quel parti prendre et soudain, sans y plus réfléchir, se dirige vers la sortie.

— Vous avez des ennuis? lui dit, au passage, l'employé, dressé à présent derrière son guichet et qui semble réellement prêt à lui porter secours.

— Non, dit Hélène. Merci.

Le garçon qui tient les lettres et qui la suit continue à rire :

— Reprenez-les, dit-il. Si c'est votre amant qui vous écrit, je l'envie. Au lit, vous devez être épatante!

— Reprenez-les donc, dit l'autre d'un ton enjoué pour bien marquer aux yeux des gens qui commencent à les observer qu'il s'agit bel et bien d'une plaisanterie.

Hélène n'écoute rien. Le camarade insiste :

— *Prego, signorina, prego*. Je vous en prie...

Et, de force, il lui met les lettres dans la main. A ce contact, Hélène paraît électrisée. Elle s'arrête, les déchire froidement, regarde en face les jeunes gens et leur en jette les fragments au visage. Ils en restent ahuris. Cette fois, dans une langue qu'Hélène ne peut reconnaître — danois? hollandais? —, ils échangent quelques mots puis s'esclaffent.

Elle est déjà dehors, marche vite, convaincue que cette irritation, au vrai, ne doit pas tout à l'incident, qu'elle bouillonnait déjà en elle, née de son aversion pour André.

3

Le lendemain matin, Adalgisa qui, à huit heures, vient aider Hélène au ménage, la trouve encore couchée, toute pâle, les narines pincées. Elle a eu des suffocations dans la nuit, un étau lui serrait la poitrine à l'empêcher de respirer.

— J'appelle le docteur, dit Adalgisa un peu affolée.

Hélène refuse, ajoute non sans effort :

— Je sais ce que c'est... Et j'ai sous la main le remède qu'il faut. Le médecin ne m'ordonnerait rien d'autre. Il suffit d'attendre.

Elle dit vrai. Elle a déjà connu ce genre de trouble provoqué en général par un choc émotif, et celui de la veille l'a ébranlée plus qu'elle ne l'aurait imaginé.

Toute la matinée, Adalgisa ne la quitte presque pas et elle s'insurge lorsque Hélène, encore dolente, parle de rejoindre Mme Poli.

— Mais vous ne tenez pas sur vos jambes! Je peux aller au café du coin et téléphoner à cette dame!

Bien que sensible à tant de sollicitude, Hélène maintient sa décision tout en la sachant elle-même peu raisonnable. Au niveau du thorax, elle sent encore une sorte de tressaillement des nerfs, moins pénible que leurs furieux soubresauts de la nuit, mais qui la font douter de ses forces. Si souvent sa mère lui a reproché de « s'écouter » qu'elle a développé en elle la volonté de surmonter ses défaillances ou, à tout le moins, de les dissimuler.

L'après-midi, Mme Poli ne remarqua ni le visage creusé de sa lectrice ni sa manière un peu lasse de se tenir dans son fauteuil, étant elle-même la proie d'une irritation qui l'empourprait jusqu'aux yeux. Méchamment, elle lui dit :

— Si vous aviez le téléphone, j'aurais pu vous dispenser de venir. C'est ridicule! Pourquoi ne le faites-vous pas installer? Je suis trop nerveuse aujourd'hui. Enfin, puisque vous êtes là, tant pis.

Hélène se retint de protester, elle qui, pour venir, avait dû marcher d'un pas précautionneux, de crainte d'un mauvais tour de sa résistance physique. Un moment, elle s'était même arrêtée au bord du Grand Canal pour reprendre souffle en regardant les eaux clapoteuses et les rares gondoles blanchies de sel qui, en cette saison, assuraient le passage sur l'autre rive.

Tout l'émoi de Mme Poli, toute cette agitation qui soulevait par saccades son énorme poitrine, provenaient des nouvelles reçues de Rome en fin de matinée, selon lesquelles son mari investissait d'importants capitaux dans une certaine entreprise alors que la prudence commandait, en cette période d'inflation et de terrorisme, de faire passer l'argent à l'étranger.

— Il nous ruinera, ce grand imbécile! Moi, j'ai bien un compte à Genève, mais rien de très important. Et, vous

vous en doutez, mon mari n'est jamais là quand je lui téléphone! Il profite de ma maladie. Croyez-moi, mademoiselle Moreï, les hommes sont des lâches.

Elle développa ce thème en agitant nerveusement un éventail assez vulgaire, souvenir de quelque excursion en Andalousie, marqué de l'inévitable scène tauromachique. Dans son indignation et sa véhémence elle s'était à demi dressée sur son sofa et ses colliers scintillaient, d'admirables colliers de perles rosées.

— J'en suis toute retournée! Savez-vous que je pressentais ce mauvais coup, et que je n'en ai pas fermé l'œil de la nuit? Quand on sait que cet argent, nous risquons un jour prochain, dans une Italie qui s'écroule, d'en tapisser nos murs et nos plafonds jusqu'aux toilettes! Hé oui! Vous vous en moquez! Vous n'avez pas ce genre de soucis. Quelle chance vous avez! Et vous ne savez même pas en profiter.

Ce thème aussi, celui du savetier et du financier, elle le développa longuement et avec la même éloquence.

Le lendemain, un dimanche, Hélène choisit de ne pas sortir, de se reposer. Elle regrettait de ne pas avoir lu les lettres d'André, le soupçonnait de mauvaises intentions, s'efforçait de les imaginer et tirait de cette rumination une froide tristesse.

Ayant appris qu'Hélène, un peu souffrante, garderait la chambre toute cette journée, Lassner, avant de partir pour Trieste, lui fit porter par Adalgisa un livre nouveau d'Italo Calvino et un gros bouquet de roses (si belles! dit Adalgisa, extasiée), le tout accompagné, sous une forme enjouée, de ses vœux de guérison. D'un coup, cette attention délivra Hélène de sa morosité, et un sentiment tout frais de bonheur s'engouffra dans sa conscience. En souriant intérieurement, elle se demanda quel genre d'homme il était, se rappela combien l'émouvaient son regard, sa manière de lui parler. Que, de son côté, elle l'attirât un peu, elle en était convaincue, mais n'importe quelle jeune femme ne pouvait-elle en faire autant? Toutefois, quoiqu'elle inclinât le plus souvent à douter d'elle-même, elle laissa, avec un subtil plaisir, son imagination en liberté.

Le lundi, au retour de Lassner, et non sans une pointe de braverie, elle insista sur l'excellence de sa santé.

— Eh bien, dit-il, accompagnez-moi donc. Il a neigé cette nuit et je veux prendre quelques clichés.

Dans son émotion, elle le laissait devant la porte. Elle se reprit, le fit entrer, le remercia avec chaleur de son livre et de ses roses. Puis, d'un ton joyeux :

— Je me prépare en deux minutes et nous partons!

Le matin, il le savait, elle n'avait aucune obligation. Tout en fumant dans la pièce d'accueil, il l'écouta ouvrir et refermer des tiroirs, s'agiter dans la chambre.

— Couvrez vous bien! dit-il à la cantonade. Et n'oubliez pas vos gants.

Le froid dessinait sur les vitres de grandes fleurs de gel. Cela lui rappela un séjour à Leningrad pour un festival de musique, en hiver, et les belles plaques de glace, finement bleutées, le soir, sur la Neva.

Très vite, comme elle l'avait promis, Hélène reparut

en manteau sombre, coiffée d'un gros bonnet de laine et chaussée de bottillons. Il la regarda s'avancer vers lui, souriante, l'œil clair, si fine dans sa pâleur qu'il dit d'un ton pénétré :

— Vous êtes charmante, chère Hélène.

Cette gentillesse la toucha comme s'il venait doucement de lui caresser le visage. Elle aurait voulu répliquer :

— Eh bien, embrassez-moi!

Mais, depuis l'enfance, on l'avait dressée à attendre, et elle se contenta de murmurer un timide merci.

Un silence glacé étreignait la ville. Au fond de la ruelle, dans la brume, une coupole au loin surgissait, ronde et grise comme un soleil gelé.

En une chute lente et balancée, quelques flocons de neige descendaient encore, se posaient sur la couche peu épaisse en vérité qui recouvrait les dalles. Spontanément, Hélène prit le bras de Lassner pour s'y appuyer par crainte de glisser, et aussi dans un élan de bonheur. Lui marchait d'un pas égal, le bord du feutre rabattu sur les yeux, deux appareils photographiques pendus à son cou, et elle sentait le mouvement de sa hanche contre son propre corps. Devinait-il le plaisir profond qu'elle éprouvait? Ils ne croisaient personne, avançaient dans un silence ouaté, sous un ciel directement posé sur la blancheur des toits. Ni l'un ni l'autre ne parlait, et c'était bien ainsi, pensait Hélène, consciente de la douceur de cet instant, attendrie par l'effort de Lassner pour marcher à son rythme.

Ils atteignirent la rive du Grand Canal, face à un décor effacé par la grisaille, mais une grisaille dont l'épaisseur s'allégeait à certains moments, révélait alors, dans des zones de transparence, les façades des palais, leurs colonnettes sur le fond bleu des galeries, en une vision fugitive. L'appareil au niveau du menton, Lassner attendait de capter l'instant magique, l'instant où ces clartés changeantes créeraient une image qui ne renaîtrait plus.

Place Saint-Marc ils s'attardèrent davantage, jusqu'à l'instant où ils entendirent un bruit de moteur qui martelait obstinément le silence. Ensemble ils se dirigèrent vers la *piazzetta* couverte de neige où des mouettes sautillaient, comme inquiétées par ce bruit. Les vitres des réverbères captaient des lueurs. Une forme glissait sur le canal.

— Un bateau-corbillard! dit Lassner.

Déjà, il avait retiré ses gants, les avait enfoncés dans les poches de sa gabardine et armait son appareil. A la limite de l'eau et des vapeurs qui dérivaient, le lourd bateau défila avec ses anges de bois doré, ses plumets frissonnants et ses couronnes barrées de rubans mauves. On ne voyait personne à bord à cause des vitres brouillées et, curieusement, le sillage se refermait presque aussitôt derrière la coque.

Après quoi, ce fut Lassner qui prit le bras d'Hélène, en disant avec bonne humeur :

— Vous me portez chance!

Ce corps d'homme pressé contre le sien, cette gaieté, ce geste affectueux éclairaient l'esprit d'Hélène. Elle se sentait femme, merveilleusement femme, prête à s'ouvrir, à s'épanouir comme une fleur. Jamais à ce jour

elle n'avait connu cela, cette impression d'être sans
mystère, forte et profonde, créée pour accueillir en elle
tout le bonheur du monde.

Toujours serrés l'un contre l'autre, ils atteignirent un
petit chantier naval en bordure d'un canal, avec un ber
sur rails rempli de neige. A la limite du plan incliné, des
gondoles attendaient d'être repeintes ou radoubées.
Ainsi alignées, couchées sur le flanc, elles rappelaient un
troupeau de grands animaux marins échoués là pour
mourir, image que Lassner fixa en variant les angles.

Ils retournèrent ensuite vers la Merceria pour déjeuner mais, en route, il photographia Hélène caressant un
chat juché sur une murette, puis Hélène devant une
vitrine de mode frangée de neige où des mannequins
roses présentaient une collection de dessous féminins.

A peine attablés dans un restaurant, elle ôta ses gants
pour frapper ses poings l'un contre l'autre. Lassner voulut les prendre pour les réchauffer dans les siens mais
elle eut un léger recul. Il le perçut, retira sa main brûlée
que le froid marbrait de plaques brunes. D'un mouvement vif, Hélène, en souriant, la retint, puis, sans quitter
Lassner des yeux, la porta à ses lèvres. Surpris, troublé,
il se dégagea sans brusquerie...

4

Chaque matin, Hélène prépare ses leçons pour Mario, pour M. Hölterhoff et pour le jeune Sardi. A la vérité, seul celui-ci lui donne du mal. Ce garçon si pâle, si maigre, ne sourit jamais, se montre capricieux, avec quelques accès d'impatience qu'il réprime de lui-même en baissant les yeux d'un air boudeur. Il arrive qu'il se plaigne de l'enseignement d'Hélène et qu'il le trouve trop élevé pour son niveau. Son attention se lasse presque aussi vite que celle de Mario, le fils d'Adalgisa qui, lui, n'a pas dix ans. La maison qu'il habite, vaste, richement décorée, est peuplée de domestiques qu'Hélène aperçoit de loin dans les couloirs, toujours furtifs, glissant silencieusement sur les parquets luisants, jetant parfois vers elle un regard ennuyé. Seul le portier, un colosse moustachu, lui parle brièvement en la guidant, toujours accompagné d'un chien qui gronde dans les jupes d'Hélène et qu'il calme d'une tape sur l'échine.

Pour gagner la pièce où Renato Sardi la reçoit, elle doit traverser une salle assez sombre, les fenêtres masquées d'épais rideaux verts comme on en voit encore dans certaines vieilles écoles. Là, dans des caissons de verre faiblement éclairés dorment ou se meuvent avec lenteur des petits animaux (tortues? lézards?...) qu'Hélène distingue à peine. De toute manière, elle ne peut s'y arrêter. Prévenu par le portier, Renato Sardi l'attend courtoisement à l'entrée de son bureau, vêtu le plus souvent d'un chandail et d'un jean qui accusent davantage sa maigreur. Ce garçon imberbe, aux cheveux cascadant sur les épaules, a un regard usé de vieillard, des mains diaphanes. Hélène pense qu'il doit se droguer. L'étrange est qu'elle n'ait jamais vu quelque membre de sa famille, une famille certainement fortunée, ce qui n'a pas empêché le jeune Sardi de discuter le tarif proposé par Hélène pour ses leçons et d'en retarder longtemps le premier règlement.

Une deuxième fois elle était sortie le matin avec Lassner pour vagabonder du côté de l'Arsenal, où des enfants se battaient avec des boules de neige. Près de lui elle s'était montrée gaie, enthousiaste, avec un désir de plaire, de charmer. Elle qui était toujours si mal assurée, si convaincue de rester à jamais une créature inachevée, incapable d'échapper à l'opacité de son être, se découvrait à présent un cœur tout rayonnant. Jamais elle n'avait pensé qu'elle pourrait se sentir aussi complète et accordée à elle-même. Lorsque Lassner, le matin de son départ pour Milan, était passé chez elle et l'avait prise par les épaules, un tremblement lui était venu. Alors, il l'avait serrée contre lui, embrassée sur les lèvres, les paupières, par baisers lents et brûlants qui lui durcissaient les seins. Elle aima cette douceur, cette pression sur sa poitrine, ses cuisses, la caresse de ces mains expertes. Il lui parla ensuite à voix basse, lui dit qu'il reviendrait aussi vite qu'il le pourrait, qu'il avait à régler des affaires à Milan, mais qu'il ne s'y attarderait pas d'une seconde.

Les pluies de décembre dessinaient à la surface des canaux des fleurs mouvantes. Les vitrines des magasins, avec leurs étoiles en carton doré et leurs guirlandes de minuscules ampoules multicolores, ne suffisaient pas, sous ce ciel coagulé, à donner à la ville un air de fête. Avant de rejoindre Mme Poli, Hélène passa poste restante, non sans appréhension. Par un creusement de la raison, elle s'efforçait d'ordonner sa volonté, de détourner de son esprit la pensée d'André, d'échapper à un vague sentiment de peur. On lui remit seulement une lettre de sa mère, que, soulagée, elle lut dans la rue, abritée sous son parapluie. Sa mère s'étonnait de ce séjour à Venise, acceptait mal l'explication qu'elle lui en avait donnée : fatigue, surmenage, besoin d'éloignement... Tout cela, négligeable. Ce qui la tourmentait : la réaction d'André à son silence. Et que répondre à des lettres qu'elle n'avait pas lues? Donc, attendre. Attendre et craindre. N'avait-elle pas, depuis peu, quelque chose de précieux à protéger?

Peu après, Mme Poli la reçut, assise devant son piano et dans un nuage de tabac. Elle avait un long cigare aux lèvres, portait un vaste kimono orné des motifs japonais les plus conventionnels : Fuji-Yama, torii et pagodons.
— Vous n'aimez pas la musique, naturellement.

— Mais je l'aime, madame. Et moi aussi j'ai joué autrefois du piano.

— Vraiment? dit Mme Poli d'un ton dédaigneux. Vos parents pouvaient vous offrir ça? Je les imaginais de condition modeste.

— Notre ville avait un petit Conservatoire. Les études y étaient gratuites.

Hélène estima inutile d'ajouter que, dans son adolescence, et devant son goût pour le piano, son père lui avait loué, au mois, un vieil instrument dont il avait fallu se séparer, car sa mère pestait contre « le bruit » et faisait à son mari des scènes absurdes. Ce mari, employé aux Chemins de fer, était un homme assez grondeur mais qui, dans son ménage, consentait à tout pourvu qu'il eût la paix.

— Oui, je vois, c'est peu de chose, dit Mme Poli. Pour ma part, j'ai fait des études avec Torrelli. (Hélène se garda de demander qui était ce Torrelli.) Il est mort. Passons. Mais, de toute manière, le chant surtout me passionnait. J'aurais pu faire carrière. Ça vous étonne? Oui, j'aurais pu faire une carrière très convenable.

Elle se tenait toujours assise sur son tabouret, ses larges fesses débordant de partout. Elle jeta son cigare dans un vase de cuivre et, d'un mouvement qui fit cliqueter tous ses bracelets, elle dégagea ses poignets des interminables manches du kimono. Ensuite, elle attaqua l'air de Chérubin dans *les Noces de Figaro* en se balançant devant le clavier, et sa voix surprit agréablement Hélène :

Solo ai nomi d'amor, di diletto
Mi su turba, mi s'altera il petto

86

E a parlare mi sforza d'amore
Un desio, un desio ch'io non posso spiegar!

A la fin, elle se tourna vers Hélène qui entreprit tout de suite de la complimenter, et de façon sincère. D'un geste elle lui imposa de se taire :

— Gardez vos félicitations pour vous. Je m'en moque, vous vous en doutez.

— Mais c'était très beau!

Surprise! Mme Poli semblait prête à pleurer. Une eau brillait dans ses petits yeux enfoncés dans une graisse rose pâle. Ensuite, elle se leva, écarta le tabouret et, d'une marche pesante et pourtant assez noble, la tête orgueilleusement dressée comme si elle sortait de scène sous des acclamations, elle se dirigea vers le sofa, s'y étendit, en agitant devant son visage l'éventail au taureau.

Hélène dit encore son plaisir, le fit en termes assez sûrs, sans que cette fois Mme Poli l'interrompît, occupée à allumer une cigarette.

— Merci, dit-elle avec froideur. J'ai chanté — il y a longtemps, bien sûr — au San Carlo de Naples. Vous n'avez pas idée de l'accueil du public! Hé oui, j'aurais mieux fait de continuer dans cette voie. Mais j'avais épousé un homme insensible à la beauté... Et si je vous avouais que je n'étais même pas amoureuse? Je ne sais ce qui m'a jetée dans cette aventure.

En sourdine, elle reprit l'air de Chérubin : « Au seul mot d'amour mon cœur se trouble », s'arrêta, son fume-cigarette menaçant Hélène. Son œil était devenu une petite pierre dure et pointue.

— Je suis ridicule, n'est-ce pas? Vos compliments, je

sais ce qu'ils valent! Vous pensez : Cette vieille toquée!
Vous avez raison. Taisez vous donc! Je lis en vous à
livre ouvert. Et d'ailleurs je n'ai pas besoin de lire quoi
que ce soit chez un autre. Je sais mieux que personne que
j'ai raté ma vie.

5

Ce même soir, Hélène rejoint Mario et, en chemin, se dit qu'elle comprend mieux, au fil des jours, le comportement de Mme Poli, ses foucades, ses brusqueries, sachant mieux de quelles insatisfactions celles-ci procèdent. « J'ai raté ma vie... » L'expression est demeurée en elle, avec son poids d'amertume.

Mario, lui, sait qu'il peut compter sur l'indulgence plénière de son institutrice, se montre charmeur, suit la leçon en se tenant la tête pour faire croire à une louable concentration d'esprit alors qu'il est surtout attentif aux bruits de la rue, aux cris de ses camarades qui jouent non loin sur le *campo*. En cachette, il élève un chaton qu'il a trouvé au retour de l'école et dont sa mère ne veut pas, vole du lait pour le nourrir, rapporte à Hélène ses ruses, ses soucis, s'efforce d'en faire sa complice, cligne de l'œil si Adalgisa traverse la pièce. Il a baptisé son chat Cassius Clay en hommage d'admiration au champion de boxe américain, et dans la certitude qu'il deviendra un matou belliqueux, capable de « démolir » tous ses rivaux du quartier. Pour l'heure, Cassius, dans l'ignorance du destin glorieux auquel il est promis, dort au fond de la cave dans un nid douillet de vieux chiffons. Ce que Mario apprend le mieux, ce sont les mots relatifs à son protégé : « *My cat is white and black* », ou « *Milk is good for my cat!* » Il amuse Hélène, le sait, en profite pour se libérer plus tôt et rejoindre sa bande.

Lorsque Hélène retourne chez elle, par nuit noire, elle est surprise de voir encore de la lumière dans l'atelier. Pagliero est là, qui termine un petit meuble commandé depuis longtemps et qu'il a promis de livrer le lendemain. Le feu est tombé, mais des braises rougeoient entre les chenets. Pagliero l'appelle, lui dit :

— Alors, Ugo est parti, d'un ton de commisération, à croire qu'il sait ce qui se passe entre eux.

Elle en est un peu saisie, mais il ajoute :

— Toujours cette histoire de Scabia.

— Quelle histoire? dit-elle.

— Le meurtre du substitut, à Milan. Voyons, Elena, vous vous souvenez...

— Ah oui.

En fait, elle est mal renseignée à ce sujet, n'en a jamais parlé avec Lassner mais, à cet instant, l'événement, d'un coup, lui apparaît tout proche d'elle. N'a-t-il pas motivé une séparation qui, pour courte qu'elle soit, la laisse un peu perdue, abandonnée à la surface de son être? Toute la journée, et même chez Mme Poli, après la petite scène du piano, lorsqu'elle lui lisait des pages de Valéry, elle avait senti Lassner vivant et enfoncé en elle comme si elle portait un enfant dans ses entrailles. Elle demande, debout près de la cheminée :

— C'est donc pour l'enquête, n'est-ce pas?

— Oui, et vous pensez, avec tout le travail qu'il a ici, ça ne l'arrange pas.

— Je comprends, dit-elle en regardant Pagliero passer le meuble au brou de noix.

— Il n'était pas chaud pour aller voir la police, dit-il, mais la veuve de Scabia lui a écrit. Que voulez-vous, il s'est décidé.

Il lui parle ensuite des premières photos de Lassner pour son album, lui vante celles où elle figure.

— Montez si vous voulez. Je les ai vues. Elles sont prêtes. Vous les trouverez sur la table.

— C'est ouvert?

— Lassner laisse toujours ses portes ouvertes. Chez lui, c'est un principe. Il en a comme ça quelques-uns, tout aussi bêtes. Une nuit, en rentrant chez lui, dans son studio de Milan, il a trouvé un couple de hippies — des Suédois — dans son lit. Il ne les a pas mis dehors, pensez donc! C'est lui qui est parti dormir chez un ami peintre. Plus tard, il s'est aperçu que son relevé de téléphone avait pris du poids. C'étaient les deux tordus qui, en son absence, avaient parlé pendant des heures avec Göteborg.

Effectivement, la porte de l'appartement, au deuxième étage, n'était pas fermée à clé. Hélène, dès l'entrée, fit de la lumière, découvrit sur la cloison l'agrandissement photographique d'un visage dissimulé sous un casque de motocycliste, ne comprit pas l'intérêt de cette image tout en ressentant un certain malaise sous ce regard aigu, comme enflammé de fureur, derrière le plexiglas. La pièce était sommairement meublée. Sur une longue table à tréteaux, des photos. Elle se reconnut sur quelques unes d'entre elles : près d'un chat qui, avec une condescendance débonnaire, se laissait caresser, ou devant la vitrine de ces longs mannequins de bois en slip et soutien-gorge. Les pieds dans la neige, dans une attitude frileuse, Hélène les regardait d'un air rêveur et ce contraste ne manquait pas d'humour.

La plus saisissante de ces photos où elle figurait provenait de la seconde promenade, dans le quartier de l'Arsenal. L'objectif de Lassner l'avait captée alors qu'elle se retournait à demi — sur quoi? elle ne s'en souvenait plus — et, le menton sur l'épaule, regardait derrière elle, les yeux assombris, comme si quelque danger la suivait, dissimulé mais réel. Était-ce bien elle, cette femme inquiète? Et quelle vision avait pu, à cette seconde précise, en altérer ainsi les traits? Elle examina d'autres photos d'elle prises par Lassner à son insu. Donc, c'était ainsi qu'il la voyait, une forme longue, la taille cambrée, le visage un peu triste, éclairé parfois, comme devant le chat ou devant l'éventaire d'une marchande à qui elle achetait des fruits.

Vaguement insatisfaite d'elle-même, elle examina ensuite d'autres images, celles du Grand Canal surtout, avec ses plans brouillés de palais et d'églises, comme s'ils venaient de naître d'une fantaisie de la brume. Et, à contempler ces photos, elle retrouvait le plaisir de toutes ces heures de confiance et de liberté.

En repartant, elle dut passer de nouveau devant l'agrandissement de cette tête casquée, barrée d'énormes lunettes. Où avait-elle déjà vu ce regard irrité? ces pupilles dilatées de fureur? Elle était déjà sur le palier, tirait la porte derrière elle... André, bien sûr, André sur le quai de la Seine, André à l'instant où elle le repoussait. lui disait fermement son refus de le revoir.

6

— Ils m'ont interrogé pendant la moitié de la matinée, disait Lassner. L'inspecteur principal, Noro, un ami pourtant, s'obstinait à me demander si je n'avais pas retenu quelque détail que mon objectif n'aurait pas capté.

Il se trouvait chez le peintre Focco, avec Maria-Pia et quelques amis, parmi lesquels Ercole Fiore, descendu de son Olympe, le cigare au bec, le regard souvent égaré sur les nus accrochés aux murs, tous inspirés de Maria-Pia avec sa tête de Minerve, ses beaux seins, ses hanches un peu lourdes.

Sur la table basse brillaient des verres, des bouteilles d'alcool. Lassner participait souvent à ces soirées, à ces discussions sans fin, dans l'éclairage des lampes voilées par la fumée.

En robe gitane, à volants festonnés, Maria-Pia soutenait qu'il y avait dans ce genre de documents photographiques une sorte de complicité entre l'opérateur et l'assassin, comme si le premier était moins soucieux de porter secours à la victime que de fixer une image exceptionnelle.

Ercole Fiore se récria :

— Mais dans son cas, Lassner n'avait pas la possibilité d'intervenir!

— Je sais, dit-elle, je parle d'une impression.

— Quelle impression?

— Celle que le reporter se range objectivement, soit dit sans jeu de mots, du côté du tueur puisqu'à sa manière il va tirer parti du crime.

— Je crois, dit quelqu'un assis sur un coussin et perdu dans la pénombre, que notre adorable amie vous traite, messieurs les journalistes, de charognards.

— C'est absurde! Et injuste! protesta Ercole Fiore, le visage en avant.

— Chez moi, à Santiago, dans un faubourg, dit Focco, le soir du coup d'État militaire, j'ai vu des gens insulter un photographe de presse qui prenait des clichés d'un homme à terre, frappé d'une balle en pleine poitrine. Pendant que d'autres cherchaient à le sauver, lui maniait imperturbablement un appareil.

— Il faisait son devoir! dit Fiore qui s'énervait. Un reporter est un témoin! De plus ses photos constituaient des documents accusateurs!

— Vous savez, dit l'homme de la pénombre, le public s'habitue aux images d'horreur. Au moment où Beyrouth flambait, les photos les plus tragiques ont été beaucoup moins appréciées que celles — les premières publiées — de Sophia Loren en compagnie de ses jeunes enfants!

— Dans le cas de Lassner, dit Fiore, le succès de ses photos...

La même voix gouailleuse l'interrompit :

— Ce succès, comme vous dites, doit beaucoup à certains journaux qui affirmaient, en légende, que le substitut, lorsqu'il a été tué, venait tout juste d'accompagner à l'école sa petite fille. Ce détail surtout a ému les braves cœurs.

Un autre invité, lui aussi en retrait, intervint. Il avait une longue figure lippue de dromadaire.

— Avec un enfant dans le décor, c'est toujours gagné, dit-il. Le reporter américain, qui, au Viet-Nam, avait isolé un bébé, abandonné en larmes dans le désert d'une gare ravagée par les bombes, connaissait son métier.

— Pour en revenir à Scabia, sa femme veut obtenir justice, ça se comprend, dit Lassner.

— On dit qu'il s'agit d'une affaire de plusieurs milliards. Scabia se serait trouvé sur la piste de puissantes personnalités du pétrole et de la finance.

— Si c'est bien là le motif de ce meurtre, et non une raison purement politique, dit Maria-Pia, les enquêteurs, quelle que soit leur bonne volonté, devront, un jour ou l'autre, passer la main.

— On enterrera l'affaire comme on a enterré ce malheureux juge, dit l'homme dromadaire.

— Mais qu'est-ce que les flics t'ont demandé en fait de détails? dit Focco à Lassner.

— Au sujet de la moto, par exemple. Sur mes clichés, les deux hommes sont pris à mi corps. J'étais trop près. On ne voit pas leur engin. Mais moi je ne connais rien à ces ferrailles, sauf qu'elles font un vacarme assommant. Ils m'ont donc montré des tas de gravures. Des modèles anglais, japonais... « Regardez bien ces pneus, me recommandait un des inspecteurs. Ils ne vous rappellent rien? — Des pneus! Pourquoi pas le rétroviseur? — Le rétroviseur aussi! Regardez bien. Essayez de vous souvenir. » Je devais avoir l'air cancre d'un candidat qui sèche devant des examinateurs.

— De toute manière, la marque de la moto, quelle importance? dit Ercole Fiore. Et peut-être l'avait-on volée!

Il était un peu plus de minuit lorsque Lassner rentra chez lui. (Selon son habitude, il avait laissé la porte seulement fermée au loquet.) En premier lieu, il rangea ses appareils qui ne le quittaient pour ainsi dire jamais. Certes, il n'aimait pas les serrures, mais il tenait à son matériel. Le studio ressemblait à une cellule. Il s'ornait tout de même de quelques agrandissements photographiques. Il retira et jeta dans un tiroir celui d'une ancienne impératrice, naguère répudiée, qui l'avait invité dans son luxueux appartement de Miami en le suppliant de cacher dans un gant sa main brûlée. Et, de vrai, comment caresser une joue, un sein de femme avec cette serre couleur de sang séché? Cette trajectoire de sa pensée le conduisit à Hélène, à cette émotion qu'il avait éprouvée au restaurant lorsqu'elle avait, ô bravoure, baisé sa main rongée. Il avait deviné en elle une créature à faire ou à refaire, à modeler, à lier davantage au présent, à un monde immédiat, un monde bien réel qu'on pouvait écouter, sentir, toucher, ajuster aux élans de son propre cœur. Il y avait aussi dans son regard quelque chose de meurtri qui le touchait. Il se souvint de leur étreinte du matin, au moment de se quitter, de l'éclat de ses yeux, de cette ardeur de tout son jeune corps pressé contre lui.

Comme il tirait une dernière bouffée de sa cigarette, avant de se déshabiller et de passer sous la douche, le téléphone appela. C'était Focco. Peut-être Fiore. A son poignet la montre marquait près d'une heure. Une voix précipitée, qui n'était ni celle de Focco ni celle de Fiore, dit très vite : « Salaud, tu vas regretter. » Malgré le déclic, cette fois encore il garda un moment l'écouteur collé à l'oreille comme si quelque autre menace allait suivre, puis il raccrocha. Dans la seconde suivante, tel qu'il était, en manches de chemise, il s'élança dans l'escalier — négligea l'ascenseur —, déboucha sous les arcades. A gauche rien. Le café était fermé. L'était-il à son arrivée? Oui. Aucun doute. Il fermait vers onze heures. Chaussée déserte. Au fond, des bourres de brume. Le froid gelait son haleine. Il se souvint d'une cabine téléphonique. Courut. Vide, la cabine. Il pensa : « j'agis comme un idiot » sans que cela diminuât son désir de frapper, de faire mal. Un peu haletant, il regarda le front nocturne des façades, comme si l'ennemi se cachait là. Convint de nouveau qu'il avait perdu son sang froid, que ceux qui l'avaient épié savaient toutes les ruses. Ainsi, ils avaient su sa visite à la préfecture de police, ne l'avaient plus lâché pendant des heures, avaient guetté son retour... Il remonta chez lui, frissonnant de froid. Pour calmer ses nerfs, il alluma une nouvelle cigarette. Il se dit qu'avant lui, Scabia avait dû subir de semblables manœuvres et connu cette solitude absolue de l'homme traqué, tourmenté par un ennemi sans visage. Comment démêler chez tout terro-

riste la part de sadisme? Il se rappela un communiqué
— après un attentat particulièrement sanglant de « Prima
Linea » — à moins que ce ne fût des « Noyaux armés » —
et du ton de réelle jouissance, de jubilation que révélait
le texte.

7

Lorsqu'elle franchit ce jour-là le Rialto, Hélène fut tentée de passer à la Poste centrale, au débouché du pont. Elle hésita dans la crainte d'y trouver quelque nouvelle qui altérât ce scintillement intérieur dont elle s'enchantait depuis la veille. Une part seulement d'elle-même enregistrait la réalité concrète, l'agitation du marché, le trafic sur le canal, les éclats du soleil dans l'intervalle des nuages très blancs, montés comme de la crème fouettée.

On lui remit une carte postale et une lettre. La carte (une vue de Nice) était d'une ancienne amie de collège, la lettre était d'André.

Elle ne l'ouvrit pas tout de suite, sortit en hâte, marcha un moment à travers les ruelles, tous les sens tirés d'un coup de leur assoupissement heureux. Poursuivie par une compagne, une fillette se jeta étourdiment dans ses jambes, puis s'enfuit en riant. Hélène pensait : « pourquoi s'aveugler? ». Elle s'attendait bien à ce qu'André la relançât. Il lui fallait comprimer ses transes, ne pas laisser la bride à son imagination, éviter de se voir toujours en équilibre au bord d'une falaise.

Elle se raisonna en vain et, comme dans tous ses moments d'intense émotion, son cœur s'emballa. Elle traversa un *campo* sur lequel donnait une maison aux balcons ornés d'une étonnante profusion de fleurs rouges, s'égara, retrouva son chemin, puis le sang battit moins fort à ses tempes, une sorte de trêve s'installa en elle.

De la poche de son manteau, elle tira l'enveloppe. André commençait par « Chère Hélène ». Il n'utilisait jamais d'autre formule, avare d'épanchement, réfractaire comme il s'en vantait aux « mots sucrés ». D'entrée, il lui reprochait de n'avoir pas répondu à ses précédentes lettres. Il ne doutait pas qu'elle les eût reçues. Il tenait son adresse de la gardienne de son ancien immeuble qui lui retransmettait le courrier... Ce silence, il ne le supportait absolument pas. Qu'elle restât encore marquée par « l'incident » (ce mot pour une tentative de suicide!) il l'admettait, mais il admettait moins qu'elle ne réagît pas, qu'elle se complût dans cet état au-delà du raisonnable. Ne s'était-il pas montré discret, patient? Il lui avait laissé un délai bien suffisant pour se remettre. Elle devait lui répondre. Il insistait pour qu'elle revînt, proposait de lui retenir un studio qu'il venait de découvrir. On le louait vide, elle pourrait le meubler à son goût... Hélène sauta la suite de ce passage. Ce n'est qu'à la fin qu'il parlait d'Yvonne. Elle eut l'impression que l'écriture, déjà minuscule, aplatie au ras de la ligne, se resserrait davantage. « Physiquement elle est assez bien remise. Pour le reste, il faut encore la ménager. » Les dernières lignes (il revenait sur l'affaire du studio) ne lui importaient pas. Hélène déchira les feuillets, en jeta les débris dans le canal parmi des détritus balancés sur l'eau noire.

Cette lettre, tout à fait conforme au caractère d'André, l'indigna surtout par cette manière désinvolte d'expédier ce qu'il appelait « le reste ».

L'après-midi et la soirée lui parurent interminables, obsédée comme elle l'était par la pensée de répondre à André, de lui confirmer, sans revenir sur ses raisons, que la rupture entre eux était définitive. Elle passait et repassait dans son esprit les mots qui lui semblaient les plus forts, n'en retenait aucun, errait ainsi à travers son indécision, en retirait un découragement mêlé de crainte. S'abstenir de répondre ne serait il pas plus éloquent, en fait, que n'importe quelle lettre? D'autre part, ne fallait-il pas tenir compte du caractère absolu d'André? des réactions de son orgueil?

Si Mme Poli ne s'était pas du tout aperçue de son trouble, en revanche le jeune Sardi à un certain moment lui avait dit : « Vous aussi, vous avez des ennuis. » De cette remarque, elle n'avait retenu que le ton d'ironie et non le « vous aussi » qui impliquait également chez lui quelque tourment.

Quand elle rentra, avec l'espoir de parler de Lassner avec Pagliero, déception! celui-ci était déjà parti. Elle s'était dépêchée pourtant, avait sauté dans le bateau-mouche de la ligne 2, où un galant passager avait en vain tenté une approche. D'un pas pressé, pour semer cet importun, elle s'était précipitée vers sa maison.

Pour renouer avec Lassner, se donner un peu l'illusion de sa présence, elle grimpa jusqu'à son appartement, en poussa la porte, et resta sur le seuil, essoufflée par la montée.

Rien n'était changé. Le même fantôme casqué la fixait de ses yeux de Gorgone. L'intensité de cette image faisait davantage ressentir la simplicité, le dépouillement de la pièce où Hélène retrouvait, comme à sa précédente visite, le dédain de Lassner pour toute notion d'intimité ou de confort. On eût dit qu'il campait là, qu'il ne s'agissait pour lui que d'un lieu de passage, que ses biens véritables étaient tout intérieurs. Elle s'attarda quelques instants, imagina le retour de Lassner le lendemain, rêva à quelque bain miraculeux dont elle serait sortie purifiée, de nouveau intacte, idée stupide, elle le savait, comme elle savait que le passé peut proliférer en soi comme un cancer de l'âme.

Elle redescendit chez elle. Il y faisait très chaud. Adalgisa avait dû forcer le chauffage pour la nuit. Après sa toilette, elle revêtit un pyjama, se mit au lit avec un livre. Pour repas, elle s'était contentée d'un verre de lait et d'un ou deux biscuits. Autour de sa chambre, le silence lui semblait aussi angoissant que si la terre ralentissait sa rotation, provoquait cet immense assourdissement de l'espace. Elle ne parvenait pas à s'intéresser à son livre pas plus qu'à trouver le sommeil, tant la pensée d'André continuait à peser sur son esprit, lui remettait en mémoire tous ses jugements dédaigneux sur Yvonne. Et penser que cette femme avait donné la preuve la plus évidente et la plus pathétique qu'elle l'aimait, si le seul amour qui vaille est celui pour lequel on consent à mourir.

Ce comportement d'André lui rappela celui de sa propre mère, déterminée à ne voir en elle que ses défaillances, ses faiblesses, à interpréter le plus souvent sa conduite de façon malveillante. Tout ce qui chez elle était alors le plus spontané et le plus sincère lui était inaccessible. Aux velléités de tendresse de sa fille, elle opposait la même impatience : « Ce que tu peux être collante, ma pauvre! » C'est ainsi qu'Hélène avait appris à refréner ses inclinations enfantines, à cacher son besoin de chaleur. Plus tard — elle avait alors une quinzaine d'années —, à une visiteuse qui la jugeait « douce, simple et gentille », elle avait entendu sa mère répliquer avec un peu d'aigreur : « Ma chère, il faut se méfier de l'eau qui dort. »

Tous ces souvenirs, ajoutés à ceux — plus déchirants — d'Yvonne Merrest, remués ainsi dans la nuit, à la lumière de la petite lampe de chevet, si vieillotte — un abat-jour de perles! —, la persuadaient que sa vie n'avait jamais connu ni appui, ni direction, ni logique. Elle s'en attrista, se maintint dans cette tristesse car elle avait tendance à aviver ses plaies.

8

Il arriva le lendemain au début de l'après midi. Hélène l'entendit parler en bas à Pagliero et s'affola un peu, à demi nue comme elle l'était, occupée à se préparer pour rejoindre Mme Poli. Elle s'énerva, batailla pour agrafer son soutien gorge, enfila sa robe quand le pas de Lassner ébranlait déjà le vieil escalier. A ce bruit quelque chose de nocturne se retira d'elle et en même temps lui revint le sentiment de son ardeur, de sa jeunesse.

Il frappa, appela. Jamais aucune voix humaine n'aurait pu aussi profondément la troubler. Elle ouvrit. Un instant, ils restèrent immobiles l'un devant l'autre, à se regarder en silence puis il s'avança, et, comme la première fois, la prit aux épaules. C'est elle qui se précipita dans ses bras. Consciente qu'elle venait d'atteindre enfin l'extrême limite d'elle-même, elle se mit à murmurer des mots qu'à ce jour elle n'avait jamais prononcés tandis qu'il la pressait contre lui, qu'elle sentait battre ce cœur d'homme. Lui aussi parla, dit qu'il avait pensé à elle et d'autres choses qu'elle ne comprit pas mais dont elle devinait le sens passionné.

Ils durent se séparer après être convenus de se retrouver le soir. Il irait la chercher, l'attendrait devant la villa des Sardi, l'emmènerait dîner. Ensuite, ils reviendraient ici. Elle comprit qu'il désirait la nuit pour cette fête, et lui passa doucement les doigts sur la joue pendant qu'il continuait à la caresser, à lui caresser les seins, les hanches en un lent mouvement de tendresse, comme s'il prenait déjà possession de tout son corps.

A son arrivée, elle trouva Mme Poli de mauvaise humeur, les bajoues palpitantes, la respiration saccadée. L'infirmière qui, deux fois par jour, venait pour les piqûres d'insuline n'avait pas respecté l'horaire. Un retard de trois quarts d'heure! Inacceptable! Et c'était la deuxième fois!

— Si cela se renouvelle, il me faudra la remplacer!

Selon Mme Poli, il s'agissait d'un Othello en jupon qui entretenait une jeune maîtresse dont elle était férocement jalouse, d'où des chamailleries sans fin. Et souvent les malades en faisaient les frais.

En la quittant, à quatre heures, Hélène, l'esprit entièrement tourné vers Lassner, se dirigea vers la villa des Sardi. Comme elle disposait d'un temps largement suffisant, elle négligea le bateau-mouche et s'y rendit à pied, savourant en chemin ce sentiment si nouveau pour elle d'avoir sa place dans la vie, ce bonheur d'être femme, entièrement femme, de partager du bonheur avec un homme.

Elle franchit le Grand Canal sur le pont voisin de la gare, traversa les jardins Papadopoli aux feuillages luisants dans une forte, une saine odeur d'humus.

Avec Sardi, elle se montra pour une fois véritablement enjouée, puis remarqua qu'il l'observait de ses yeux délavés et paraissait surpris de son changement.

Comme ils se tenaient assis l'un près de l'autre, il appuya son bras gauche au dossier d'Hélène qui, un cahier ouvert devant elle, l'entretenait avec conviction des démonstratifs français. Peu après, cette main remonta vers son épaule, s'y posa, esquissa une caresse mais, d'un bref mouvement du buste, Hélène se dégagea. Jusque là le garçon semblait n'avoir jamais vu en elle qu'un professeur dans ses exercices un peu arides, avec à peine un peu plus d'existence qu'un fournisseur ou qu'un domestique. Hélène ne s'émut pas trop de cette petite audace mais se leva pour s'installer avec son livre et son cahier de l'autre côté de la table.

— Ce sera mieux ainsi, dit-elle gaiement.

— Si vous voulez...

Il parut embarrassé, les joues soudain colorées, le regard bas.

Sachant que Lassner l'attendrait dans la rue, Hélène, qui d'habitude ne ménageait pas son temps, s'ingénia pour terminer la séance à l'heure précise, l'œil sur l'admirable pendule — porphyre et or — qui trônait sur la cheminée.

Au moment de quitter le garçon, elle lui dit :

— Monsieur Sardi, vous devriez fréquenter des jeunes gens, recevoir des amis de votre âge...

Il l'interrompit avec une hargne d'enfant gâté, sûr de ses pouvoirs :

— C'est mon affaire!

— Vous ne sortez pas assez.

— Avec vous, si je pouvais...

Il attendit, droit devant elle. D'un geste prompt, il rejeta un bandeau de cheveux en arrière et la regarda comme s'il la défiait.

— Mais nous ne pouvons ni l'un ni l'autre, dit Hélène en souriant.

Il la reconduisit jusqu'au palier, à travers la salle crépusculaire, longea le hall où les statues de jeunes femmes vêtues à l'antique portaient chacune un flambeau allumé qui jetait au plafond un cercle de clarté blanche. En bas, le gardien colosse, flanqué de son chien, l'accompagna jusqu'à la sortie, ouvrit le judas pour observer la rue. Ensuite, il manœuvra la serrure, s'effaça devant Hélène mais resta sur le seuil à la regarder se diriger vers un homme qui attendait à contre-jour, serré dans une épaisse canadienne.

Au matin suivant, Hélène et Lassner se réveillèrent ensemble dans le désordre des couvertures et des draps. Il était près de neuf heures. La pendulette, sous la lampe et son abat jour à perles, avait déjà appelé sans les faire émerger de l'engourdissement dû à l'excès de plaisir. Lassner se tourna vers Hélène, lui découvrit les seins, les caressa du bout des lèvres, parcourut le ventre, les flancs avec la même douceur comme en un hommage de gratitude, de dévotion. Elle se sentait plus profonde, plus accomplie, avec le sentiment que, depuis sa naissance, c'était pour elle le premier matin, la première joie.

Puis il sortit du lit, tout nu, dans la pénombre de la chambre, son corps dur marqué par une toison qui recouvrait toute la poitrine. Elle le regarda se mouvoir dans cette pâle clarté, admira ses hanches plates, son sexe comme une étrange fleur, ses cuisses fortes et velues, et se sourit à elle-même. Elle dit :

— Adalgisa ne va plus tarder. Si elle apprenait...

— Quelle importance? Nous sommes libres, nous nous aimons. Et ça, je voudrais que le monde entier le sache! Je n'ai rien à cacher... Enfin, bon, je vais tout de même passer un slip.

Peu après, lorsque Adalgisa s'annonça, Lassner avait déjà rejoint Pagliero dans l'atelier.

— Encore au lit? Tu n'es pas souffrante au moins?

Depuis quelque temps les deux jeunes femmes se tutoyaient.

— Ne crains rien, dit Hélène, le drap jusqu'au menton. Je ne me suis jamais mieux portée.

— Tant mieux, tant mieux! dit Adalgisa du même ton joyeux.

9

A deux jours de là, un matin, Lassner se remit à son album sur Venise. Il avait déjà réuni un choix de paysages que les effets de brume éloignaient de toute réalité physique, comme s'ils étaient nés du fond de sa conscience ou d'une série d'hallucinations.

Cette fois aussi Hélène l'accompagnerait, mais dans une disposition nouvelle, son esprit enfin tiré d'une zone fibreuse où il tournait en se cognant.

Ils s'arrêtèrent dans l'atelier. Pagliero venait d'y allumer un feu avec des morceaux de vieilles poutres abandonnées au fond du local par le maçon. Pendant cette opération, il avait débusqué et tué un rat en lui lançant un marteau. Il dit que les rats vénitiens, tout chauvinisme mis à part, étaient, de tous, les plus intelligents et qu'il avait pu vaincre celui-ci sans mérite, d'un coup heureux. On pouvait le voir. Hélène craignait qu'on la jugeât d'une sensibilité excessive et accepta de regarder.

C'était une bête très grasse, à la queue annelée, l'extrémité des pattes teintée d'un rose de fraise, avec du sang sur son échine brisée. Il paraissait sourire de façon cynique, les babines retroussées sur ses dents aiguës comme s'il narguait encore ses ennemis. Hélène frissonna, revint sur ses pas.

— Un beau morceau, n'est-ce pas? dit Pagliero. Il faisait des bonds comme ça.

— Comment vas-tu t'en débarrasser? demanda Lassner.

— Dans le foyer de la chaudière, lorsque Adalgisa viendra le recharger.

— Il en existe d'autres? dit Hélène.

— Oh oui, et les chats les plus courageux répugnent à les attaquer.

— Je veux dire : ici, dans la maison?

— Ici comme ailleurs. Celui-là, c'est une femelle. Le mâle ne tardera pas à se manifester. Ils jouaient, eux aussi, *les Amants de Venise...*

L'avait-il dit avec une intention? Mi-confuse mi-amusée, Hélène se souvint qu'Adalgisa, déjà, avait compris très vite que, cette nuit, Lassner n'était pas remonté chez lui.

Pour le Lido où Lassner avait choisi de se rendre, le bateau partait du quai des Esclavons. Durant la traversée, il ne fut pas question du rat bien qu'Hélène y pensât encore avec un dégoût accablé. Comme pour conjurer l'image de cette tête cynique et ricanante, elle se serra contre Lassner, sûre d'une protection dont subitement elle ressentit le besoin. Lassner la prit par la taille, lui sourit, lui parla doucement, à croire qu'il avait réellement deviné cette détresse. Au ras de la lagune, le vent de l'Adriatique courait en creusant l'eau grise. Hélène éprouva un désir de sincérité, de confiance absolue. Elle aurait voulu, sans tarder, livrer ses secrets,

les arracher du fond d'elle-même, fût-ce douloureuse-
ment. Parler une fois, une seule fois d'André, serait
un moyen d'en finir avec lui, de le rejeter hors de sa
conscience. Pour s'y résoudre, elle attendrait. La rive
approchait. A travers les vitres, brouillées par les
embruns, on distinguait une longue forme basse et, à
peine, le front inégal des immeubles. Les quelques passagers remontèrent sur le pont. Un vieil homme qui
s'apprêtait, lui aussi, à débarquer replia soigneusement
son journal qui portait en première page un gros titre :
« Attentat à Rome. »

Ce titre, Lassner l'avait vu aussi. Il ne dit rien mais,
à terre, se dirigea vers le kiosque voisin, acheta un journal, le fourra dans la poche de son imperméable. Il
ouvrit ensuite le haut de ce même imperméable pour
dégager le Nikon suspendu à son cou, revint en bordure
du quai où Hélène l'attendait, lui montra d'un geste,
comme s'il la lui offrait, la perspective des îles de la
lagune. Dans cette décomposition de la lumière, toutes
les coupoles semblaient sans attache avec la terre,
comme des montgolfières à l'enveloppe richement décorée, immobiles dans cet espace sans profondeur. Un
long moment il se tint en observation sans qu'Hélène
devinât quel aspect du paysage le captivait ou quel
changement il en espérait. De grands édifices de nuages
d'un violet funèbre dérivaient avec solennité, tout
gonflés d'eau. De certaines zones moins opaques filtraient des clartés qui descendaient pour s'étaler à la
surface de la lagune en flaques lumineuses. L'une d'entre
elles effleura un dôme, le recouvrit d'une poudre de
diamant, le maintint un instant dans cette brillance de
planète acronyque puis s'éteignit avec la soudaineté

d'un projecteur. Mais Lassner avait déjà opéré, se retournait vers Hélène, les ailes de son imperméable agitées par le vent.

Ils repartirent ensuite pour l'immense plage déserte où les vagues chargeaient avec une impétuosité de cavalerie démente. Devant l'Hôtel des Bains on avait abandonné sur le sable, en retrait, quelques cabines de bois, à rayures bleues et blanches qui, affaissées et disloquées, suggéraient, non sans mélancolie, les lointains plaisirs de l'été.

Lassner traverse la chaussée, saute du remblai et, l'appareil en bataille, cherche à saisir les cabines, la plage parsemée de racines de mandragores et, tout au bout, la baroque silhouette de l'Hôtel Excelsior qui, dans cette lumière mouvante, ressemble à un navire posé sur rien. Lorsqu'il remonte vers Hélène, les premières gouttes de pluie, lourdes mais encore espacées, commencent à tomber. Tous deux fuient en riant, atteignent l'avenue Reine-Élisabeth, se réfugient dans l'un des rares cafés ouverts quand déjà l'averse crépite sur le trottoir et fait galoper les passants vers un abri.

Ils s'installent dans un coin de la salle, commandent des Martini. Lassner demande à Hélène s'il peut lire l'information dans le journal acheté dès l'arrivée.

— Bien sûr, mais que s'est-il passé? demande-t-elle.

— Selon la manchette, un journaliste a été tué à coups de revolver.

Il lit le texte. La victime avait reçu des menaces mais avait négligé une protection constante. Les tueurs ont agi en plein jour, selon une tactique habituelle, montés sur une puissante motocyclette qui peut s'échapper à travers les encombrements, déjouer une éventuelle poursuite. Dans la soirée, un groupe d'extrême-gauche a revendiqué le meurtre.

Un moment, Hélène reste songeuse, puis demande :

— Et toi? As-tu reçu quelquefois des menaces?

— Mais oui. Et il n'y a pas si longtemps...

— Des lettres?

— Non. Le téléphone...

— Qui t'a parlé?

— Pas précisé.

— Et tu n'es pas inquiet?

Cette fois, il plie la feuille, regarde Hélène et son visage légèrement altéré.

— Je n'aime pas vivre dans l'inquiétude, quoi qu'il arrive. Et, de toute façon, dans mon cas personnel, crois-moi, il n'y a rien de sérieux.

Cette émotion d'Hélène le surprend et l'amuse.

— N'y pense pas. De toute façon, tu es mon amulette, mon abraxas, mon signe indien.

Cette gaieté, qu'elle sent réelle, n'atténue pas en elle un sentiment d'anxiété.

— On ne peut rien faire?

— Rien, dit-il avec la même bonne humeur. Les Grecs nous l'ont appris. Il faut continuer.

— Continuer?

— Oui, continuer à jouir du présent et à beaucoup s'aimer.

Comme ils étaient assis côte à côte sur la banquette, il l'attira contre lui :

— J'ai eu tort de te parler de ces choses. Je suis désolé. Ne sois pas triste.

— Mais pourquoi te menace-t-on?

— Comment savoir? L'autre jour je me suis entretenu

avec les policiers. Ça n'a pas dû plaire aux assassins de Scabia ou à ceux qui les ont armés. Peut-être croient-ils que je représente un danger pour eux.

— C'est possible?

— Je ne le pense pas, mais s'ils le croient vraiment, ils chercheront encore à m'intimider pour que j'évite désormais les enquêteurs, ou pour quelque idée de ce genre.

Il la regarda avec tendresse, et elle sentit cette tendresse pénétrer au plus profond d'elle-même. Cependant, son esprit n'était pas rasséréné. Ces derniers jours, l'illusion lui était venue que Venise était la ville qui pouvait le mieux abriter le bonheur, mais aucune ville au monde n'est, dans ce sens, un asile, et le malheur entre où il veut. Hélène en eut conscience jusqu'à l'angoisse.

Comme la pluie durait et contrariait les projets de Lassner, d'un commun accord ils décidèrent de reprendre le bateau. Peu après leur arrivée, ils aperçurent une barque à moteur glissant sur un étroit canal, sous des portées de linge qu'on avait négligé de retirer. L'homme qui tenait la barre, assis à l'arrière dans une attitude royale, se protégeait sous un gigantesque parapluie rouge et, pour saisir cette image, Lassner courut le long du quai, sans souci des flaques, faisant gicler l'eau à chaque enjambée.

Ils rentrèrent ensuite, transis, mouillés jusqu'aux genoux, passèrent sous la douche brûlante et restèrent longtemps à s'ébattre dans la salle de bains. Lassner prit alors des photos d'Hélène, nue sous le jet ou dans la nappe de vapeur, le corps lisse et souple, les cheveux collés sur la tête en un casque léger, avec un aspect à la fois gracile et vigoureux d'adolescente.

10

Mme Poli avait déjà rempli de mégots tout un cendrier lorsque Hélène arriva. (Lassner l'avait accompagnée jusqu'à la porte, et elle sentait encore en elle toute la chaleur de son étreinte.) Pendant que Maddalena, la vieille servante, l'aidait à retirer son manteau, Mme Poli l'attendait, allongée comme de coutume sur son sofa, une couverture sur les jambes, son long fume-cigarette à la main. Puis, d'un geste royal qui fit tinter ses bracelets, elle lui désigna un fauteuil.

— Vous êtes radieuse, mademoiselle.

— Merci, dit Hélène, déjà occupée à feuilleter un livre.

— Ne faites pas la sotte et laissez donc ce bouquin. Que vous est-il arrivé? Racontez vite.

— A moi, madame?...

— Allons, allons! Depuis quelque temps je vous observe. Et croyez-moi, j'ai l'œil. Vous avez une mine qui ne trompe pas. Et ces yeux battus, d'un si beau mauve. Je connais ça. Vous, vous faites l'amour. Tant mieux.

Cela se voit donc? pensa-t-elle, étourdie de surprise. A peu près de la même manière, Marthe lui avait dit : « Te voilà bien changée. Tu as l'air heureux. Je m'en réjouis! » Autrefois, elle s'entraînait à dissimuler de son mieux, à se composer un visage inexpressif. De loin en loin, sa mère lui disait : « Je te connais. Ne joue pas les Sainte-Nitouche! » André aussi devinait parfois qu'elle s'était fixé un masque : « Toi, qu'est-ce que tu me caches? » Elle cachait ce que ni sa mère ni André ne savaient supporter : une émotion, une réaction qui auraient dérangé l'idée qu'ils avaient d'elle et à laquelle ils la voulaient soumise.

— Ne faites pas cette tête, poursuivit Mme Poli. Vous ne comptez pas me jouer la comédie de la vierge pudique, n'est-ce pas? Qui est-ce? Un Italien? Ce ne sont pas de mauvais amants. Il y a mieux cependant : les Espagnols et les Arabes par exemple. Enfin... N'en parlons plus si ça vous gêne. Mais entre femmes... De toute manière, il me plaît que vous ayez perdu votre regard de chien triste qui me faisait mal au cœur.

De ses yeux mi-clos elle surveillait Hélène, et son énorme visage enduit d'une crème de beauté luisait comme une motte de beurre.

— Ces choses-là se voient, mademoiselle... Tenez, moi, quand j'étais toute jeunette, mes parents me surveillaient. Mon père surtout. C'était un homme du Sud, avec l'honneur des filles, la virginité, toute la panoplie. J'aimais le chant, je vous l'ai dit. On m'avait inscrite dans une chorale de jeunes filles. Nous chantions « Belle nuit, ô nuit d'amour » et autres suavités. Je m'ennuyais. Et voilà que je plais au chef de chœur, un beau moustachu, marié et père de quatre enfants. Il me plaît aussi et nous y allons gaiement. Eh bien, ma mère, le soir où je suis rentrée à la maison après mon tout premier rendez-vous, m'a flanqué une formidable gifle avant même de me demander quoi que ce soit.

Elle rit, abandonna son fume-cigarette, s'empara d'un coffret placé derrière elle, sur une étagère. Hélène savait que Mme Poli manœuvrerait avec obstination pour obtenir des confidences.

— Tenez, mademoiselle, voici des photos. Elles sont d'une autre époque. J'étais alors en pleine jeunesse. Mon Dieu, que je voulais être heureuse! Regardez donc celle-ci...

Elle figurait au bord de la mer, en maillot à jupette, coiffée d'un curieux bonnet tout tuyauté. Une image charmante. Longuement, Hélène l'examina. Ainsi ce corps gracieux, cette gorge si tendre, ce visage triangulaire aux pommettes hautes avaient bel et bien été ceux de cette femme difforme, empâtée dans la graisse! Mme Poli souriait méchamment :

— N'est-ce pas? dit-elle. Vous pensez : quel changement! Quelle ruine! Vous avez raison. Un de vos poètes a dit : « Vivez si m'en croyez... » Vous connaissez, naturellement. Les roses de la vie, ça passe vite. Hé oui, ça passe vite...

Soupir. Puis, nouvelle photo. Cette fois, elle apparaissait sur un fond de feuillages, en longue robe claire, serrée à la taille, les bras nus. Ses cheveux courts formaient une frange sur le front. Elle se tenait un peu raide, le regard assuré. Son compagnon était en chemise noire, baudrier, culotte de cheval. Ses épais sourcils et sa moustache accentuaient son air bravache.

— Mon futur mari, dit Mme Poli. Déjà je me rendais compte qu'il n'aurait pas inventé l'eau tiède. Passons. J'étais encore jolie, vous voyez.

Suivit une photo de groupe.

— Ici, dit-elle, je suis avec Malaparte. Bel homme

mais d'une incroyable muflerie avec les femmes! Et plus capricieux qu'une cocotte. Moi, je suis à sa gauche. Vous m'avez repérée? Oui, j'avais les cheveux teints et, à l'époque, je voulais ressembler à Greta Garbo.

Hélène s'attarda un peu plus sur cette image où elle découvrait chez la jeune Mme Poli (la tête ornée d'un petit chapeau cloche) une expression tendue jusqu'à la dureté.

— Hein! Quelle figure de carême? C'est que j'avais déjà perdu toutes mes illusions. Mais revenons à vous. Donc, vous ne voulez toujours rien me confier. Dites moi seulement si vous êtes heureuse?

— Très heureuse, dit Hélène.

— A la bonne heure! Je m'en réjouis. De toute manière, vous ne pouvez le nier, cela se voit. Tenez, nous allons changer de livre. J'ai là un petit érotique, cadeau d'un de mes vieux amis. Vous allez m'en lire quelques pages, et ce sera un peu comme si vous même me racontiez tous vos plaisirs.

En quittant Mme Poli, Hélène retourna chez elle. Il n'était pas encore cinq heures et le jour avait déjà sombré dans une obscurité chaotique toute secouée de vent. Elle rejoignit Lassner avant de se rendre chez Adalgisa pour sa leçon au petit Mario. Lassner sortait tout juste de la chambre noire. En riant, elle lui rapporta les propos de Mme Poli.

— Je lui ai résisté. Je ne voulais rien lui dire. mais à la fin... De toute façon, ce n'est plus un secret. Adalgisa, Pagliero et Marthe et Carlo savent que je suis amoureuse!

Lassner lui montra la série de photos prises le matin même et qu'il finissait de développer. Sur l'une d'entre elles on la voyait nue, les cheveux défaits, une main posée au milieu de la gorge, suggérant l'attitude d'une femme surprise dans son intimité mais amusée et tendrement complice. Or, par un effet du hasard, l'objectif avait pris, dans la perspective du mur opposé, le visage masqué du tueur. On eût dit que c'était elle, Hélène, qu'il regardait de ses yeux de haine, et elle faillit proposer à Lassner de couper l'image, mais déjà Lassner commentait, vantait ce contraste, de sorte qu'elle y renonça.

Pour la première fois, Mario lui présenta le chat Cassius agréé à la fin par Adalgisa. Le jeune Cassius n'était encore qu'une boule de poils où perçaient des yeux très clairs comme deux gouttes de soleil. Mario avait su la mort du rat, chez Pagliero, et l'émotion d'Hélène et, quoique son chat fût encore mal assuré sur ses pattes, il ne doutait pas qu'il acquerrait du punch et deviendrait très vite le bourreau des rats les plus musclés. A écouter l'enfant parler des rats, Hélène éprouva ce hérissement intérieur qui lui était venu le matin, dans l'atelier, devant le cadavre de l'animal et son étrange rictus. Une glissade de son imagination lui rappela le souvenir d'André et de la confuse aversion qu'elle avait toujours ressentie à son égard. En fait, elle l'avait rencontré dans une période d'abandon, et reconnaissait avoir subi cet ascendant qui émanait de toute sa personne sans jamais éprouver la sensation d'enchantement qui, au premier regard, l'avait poussée vers Lassner.

La plume à la main, le chat sur ses genoux, Mario était aux prises avec des mots anglais qui l'ennuyaient et le faisaient bâiller. Il existait une ressemblance entre Cassius et lui, un aspect tendre et câlin qui amusait Hélène. Elle se disait qu'elle devait écrire à André, qu'elle avait déjà trop tardé, que cette lettre serait la conclusion à une aventure stérile. La conclusion logique, raisonnable, nécessaire, mais tous ces adjectifs ne pouvaient rien contre une certaine crainte mêlée de répulsion qui l'inclinait à retarder l'épreuve. A la vérité, une fois, une seule fois, elle s'y était essayée, dans le temps même où Lassner se trouvait à Milan, mais elle était restée devant sa feuille, comme Mario, la plume en l'air, avec le sentiment de vide et d'impuissance que l'on ressent sur le quai d'une gare après avoir raté son train.

Plus tard, Anna-Maria débarqua de Mestre en s'abritant sous un immense parapluie. Selon Pagliero, un engin de ce genre aux redoutables pointes avait des chances de crever l'œil de quelque imprudent qui, dans l'étroitesse d'une ruelle, croiserait la jeune femme sans s'écarter assez. Anna-Maria travaillait à Marghera dans une filiale de la Montedison qui, entre autres produits chimiques, fabriquait de l'acroléine. Elle commençait à ressentir des symptômes d'intoxication mais redoutait la visite médicale. Deux de ses compagnes venaient d'être expédiées dans un sanatorium, et ce seul mot la terrorisait. Non sans véhémence, Pagliero lui reprochait de trop attendre. A quoi bon attendre? Tôt ou tard, il faudrait en venir à cette solution. Hélène l'approuvait, avec la conscience que, d'une certaine manière, ce conseil valait aussi pour elle et pour André.

Lassner avait invité le couple à dîner avec Hélène et lui dans un petit restaurant où l'on proposait des poissons de l'Adriatique qui, dans des bacs, attendaient sur un lit d'algues et de glace pilée. Dans sa jeunesse, le patron, alors svelte et chevelu, avait servi de rabatteur à l'ancien propriétaire. L'été, il ramenait là des étrangères esseulées qui parfois, après le repas, sollicitaient de lui d'autres services. De ces temps révolus (il pesait à présent cent dix kilos et n'avait plus qu'une mince couronne de poils sur le chef), il avait gardé des manières caressantes et une politesse enjôleuse dont Hélène et Anna-Maria s'amusaient.

Au cours du repas, Anna-Maria leur apprit qu'à la Montedison des envoyés du parti communiste et des syndicats étaient venus, la veille, mettre en garde les ouvriers contre l'action des Brigades rouges et des groupes terroristes en général.

— Hé, dit Pagliero, s'il suffit de faire exploser des bombes et d'opérer des assassinats pour rénover cette société bancale, alors à quoi servent les syndicats et les partis ouvriers? A quoi sert l'éducation des masses? On donne aux gens le sentiment que pour tout transformer ils n'ont pas besoin de prendre d'initiatives, qu'ils n'ont qu'à laisser agir quelques petits groupes. Tout ça, c'est dans Lénine. Et il a raison.

Pour Lassner, cette violence qui cherchait à courber les esprits, si elle triomphait n'entraînerait qu'un régime d'intolérance et d'obscurantisme. Il en était, lui, pour des confrontations d'idées, la libre adhésion à une idéologie.

— En fait, dit Anna-Maria, les victimes sont en majorité des intellectuels.

— Pas d'accord, dit Pagliero. Il y a aussi des flics et même des ouvriers...

— Pardon de t'interrompre, mon amour, j'ai dit : en majorité. De toute manière, cette violence a pour origine — tu le sais bien — la corruption et le cynisme du système actuel. C'est ce qui motive la révolte de jeunes qui ont soif de justice!

— La justice sans jugement? Par exécutions sommaires?

— Je parle de justice sociale!

— Ne nous énervons pas, dit Lassner. Ce qui reste vrai c'est qu'aujourd'hui, en matière politique, faire peur est devenu un peu partout une stratégie.

D'un geste, il appela le patron qui naviguait entre les tables, tout rond, tout gonflé, pour lui commander une autre bouteille de vin.

Ces propos, Hélène les suivait sans intervenir, trop peu informée sur les événements qui agitaient l'Italie ou plutôt sur leurs causes profondes, et en même temps elle se rendait compte qu'elle était elle-même au cœur du débat. Oui, dans ce café du Lido, Lassner n'avait il pas minimisé pour elle les menaces qu'il avait reçues? Devait-on réellement les dédaigner? Étaient-elles limitées à une forme de brimade? A une sorte de jeu plus ou moins sadique? Ou fallait-il les tenir pour des avertissements formels? Un arrêt de mort irréversible? Elle observa Lassner, son visage un peu osseux, ses lèvres fortes, avec cette expression de gravité qu'il prenait toujours quand il écoutait parler les autres, et la pensée lui vint qu'en ce même moment, peut-être, on le cherchait pour le tuer. La peur monta en elle, parut suinter de ces murs, filtrer par ces fenêtres auxquelles s'appuyait la nuit.

Au retour, après avoir laissé Anna-Maria et Pagliero à un embarcadère, ce fut la traversée des rues sombres dans le silence et le froid. Cette marche au bras de Lassner, cette paix le long des canaux calmèrent peu à peu l'inquiétude d'Hélène comme si Venise était un sûr refuge contre tout le mal de la terre.

Vint le moment où, dans l'intimité de la chambre, les vêtements tombèrent avec un froissement léger, où les corps se révélèrent à la paisible clarté des lampes, et, comme chaque fois, Hélène se sentit protégée, hors d'atteinte, tout entière livrée à sa passion d'aimer.

Le lendemain, tandis que Lassner travaillait dans son laboratoire, elle partit pour le marché du Rialto, mais d'abord franchit le pont pour se rendre à la poste. Comme toujours, elle éprouvait une certaine appréhension. A certaines heures, et par brèves intrusions dans son esprit, la pensée d'André venait corrompre la joie de cette existence près de Lassner.

On lui remit seulement deux cartes de vœux pour le Nouvel An, dont l'une de sa mère. Cela lui parut si surprenant, tant elle s'était préparée à trouver une lettre d'André chargée de reproches, qu'elle demanda à l'employée s'il n'y avait rien d'autre.

— Rien d'autre, dit la jeune femme après avoir vérifié.

Elle repartit, passa de nouveau le pont, mécontente d'elle-même, de cette inclination qu'elle avait à trembler au seul nom d'André. Si André ne lui écrivait plus, ne la relançait plus, c'était d'évidence qu'il admettait qu'elle ne lui reviendrait jamais, que tout était définitivement consommé. A cette idée, elle éprouva une sensation subite de délivrance. Il lui sembla qu'un poing s'ouvrait qui, jusque-là, lui serrait le cœur. Sous le pont, des péniches passèrent, bâchées de noir. Elle s'arrêta un instant sur le quai, dans la fraîche odeur de verdure qui venait des docks, admira la lumière hivernale posée sur les façades des palais. Elle attendit là, le col relevé, les mains enfouies dans les poches de son manteau, des mèches de cheveux lui battant le visage, que cette vision pénétrât jusqu'au fond de sa conscience.

Les fêtes étaient passées. Hélène et Lassner avaient célébré Noël chez les Risi, satisfaits de connaître enfin le compagnon de leur nièce. Après le repas, Marthe avait voulu assister à la messe de minuit. Ils étaient donc partis pour Saint-Marc. Lassner avait pris des photos à l'intérieur de la basilique où scintillaient les dorures des mosaïques à cette clarté d'incendie créée par les forêts de cierges. En robes noires à parements bleus, des files de pénitents portaient des lanternes de style baroque, au bout de lourdes hampes, et des carabiniers en tenue d'apparat, sabre, bicorne et plumet rouge, encadraient des petites filles en blanc comme de minuscules mariées. Tout là-bas, par-dessus la foule, on voyait l'officiant qui se mouvait lentement dans ce poudroiement lumineux comme un grand scarabée blanc et or. Pas un instant, son appareil au poing et passant d'un endroit à l'autre, Lassner n'avait cessé de considérer la cérémonie religieuse comme une sorte de grand opéra, ce qui avait un peu contrarié Marthe.

Pour le Nouvel An, on s'était réuni chez Hélène avec Learco, Adalgisa, Pagliero et Anna-Maria. On avait laissé Mario et son chat à la garde d'une vieille dame du voisinage qui se fichait du réveillon et préférait se coucher tôt.

Cette ultime soirée de l'année avait eu pour décor, chez Hélène, la pièce où Lassner avait déjà réuni l'essentiel de son exposition de Londres (il restait encore quelques panneaux à terminer), de sorte que le repas s'était déroulé sous des photos de guérilleros nicaraguayens, de CRS français, de grévistes suédois et d'autres visages tout aussi farouches qui, selon Pagliero, paraissaient regarder fixement les convives avec rancœur ou dégoût.

Toutefois, à aucun moment cela n'avait troublé les appétits. D'autres images étaient plus souriantes, comme celle d'une petite fille accroupie, le front soucieux, devant un oisillon tombé du nid et qui, la tête en arrière, le bec démesurément ouvert, semblait clamer son indignation devant la coupe de lait qu'on osait lui proposer.

Un incident réjouit Hélène. Marthe était montée avec elle chez Lassner pour y chercher un complément d'assiettes. Et là, elle avait vu, agrandies et fixées à la cloison, une suite de photos qui, sans qu'elle fût particulièrement pudibonde, l'avaient tout de même offusquée. L'image d'un individu masqué par un casque de motocycliste, et qu'elle avait trouvée exécrable, ne l'avait pas le moins du monde retenue. En revanche, elle avait bel et bien reconnu Hélène nue sous la douche, les cheveux trempés, les épaules, les seins constellés de gouttes d'eau dont chacune enrobait une minuscule perle de lumière. Et encore Hélène blottie dans un fauteuil, toujours aussi nue et les jambes repliées sous la croupe, le front en avant, touchée par un éclairage assourdi qui laissait le corps dans une sorte de pénombre, effleurait l'arrondi du ventre, la courbure d'un sein, suggérait la plénitude d'une femme ouverte à un bonheur sans mesure. Mais celle qui l'avait scandalisée avait été prise un matin, après le réveil. Hélène était restée au lit, dans le désordre des draps, et ce visage, aux lèvres gonflées, les yeux chavirés (on ne voyait qu'une ligne claire entre les cils), le sourire à peine perceptible, reflet d'un plaisir ressenti, accueilli, retenu au plus profond de l'être, exprimait l'assouvissement le plus absolu, la rayonnante lassitude d'après l'amour.

Marthe avait pris Hélène à part :

— Mais il ne va pas exposer toutes ces choses, les montrer à tout le monde!

— Il en fera ce qu'il voudra, ma chérie.

— C'est impensable!

— Il me photographie pour ainsi dire du matin au soir.

— Et toujours nue comme un ver?

— Toujours, non. Il arrive très souvent que ce soit au cours de nos sorties. Et comprends que par ce froid...

Marthe sourit enfin.

— Ce qui est bon, dit elle, c'est qu'avec lui il s'agit d'un homme véritable. Et qu'il t'aime. Et puisque tu es heureuse!... Ce n'est pas comme avec l'autre! Que devient-il? Où en es-tu avec celui-là?

— Plus de nouvelles.

— Bon débarras!

Chargées de vaisselle, elles redescendirent, rejoignirent les autres.

Carlo s'escrimait à déboucher la première bouteille de champagne. Peu après, tandis que chacun buvait — même Anna-Maria à qui le médecin avait pourtant déconseillé l'alcool —, les cloches de Venise se mirent à sonner et, du port de la Giudecca, montèrent des cris de sirènes. La nouvelle année commençait. Le cœur serré, Hélène écouta ces bruits qui fracassaient le cristal de la nuit.

TROISIÈME PARTIE

André

1

Dans les premiers jours de janvier, comme chaque année en cette période, la marée submergea une partie de la ville. De bonne heure, Lassner avait préparé son matériel et confié à Hélène ses projets. Elle voulut l'accompagner. Ce spectacle, elle ne l'avait jamais vu et, de toute manière, ces sorties avec Lassner, quel que fût le temps, la ravissaient.

Dans la lumière morte de ce matin d'hiver, les très rares passants donnaient de loin l'illusion de glisser en l'air, de flotter au-dessus du sol, portés par leur parapluie. Le silence semblait s'étendre sur toute la terre, un silence d'après le déluge.

Place Saint-Marc, Lassner photographia les grandes dalles et la géométrie de leurs dessins qui apparaissaient en transparence sous la surface de l'eau. Il avait chaussé des bottes et, pour certaines visées, dédaignait les passerelles. De loin, Hélène le regardait aller et venir, observer les pigeons frileusement abrités dans les creux des façades, chercher l'angle le plus favorable pour saisir la basilique et son reflet. Surgit, à l'instant même où il opérait, un vieil ecclésiastique qui hésita sous le grand porche, se pencha, ajusta sa barrette, puis, bravement, la soutane retroussée à deux mains, les pieds noyés jusqu'aux chevilles, s'élança vers l'extrémité de la place, avec le trottinement éperdu d'une vieille dame poursuivie par un maniaque. Lassner eut ensuite l'occasion de photographier une sorte de galéasse à voile rouge, enfoncée jusqu'à plat-bord, et un grand cargo, à peine dégagé des brumes qui, par un effet d'optique, paraissait dériver dans le chenal, droit sur la pointe de la Salute. Autre occasion : derrière les Procuraties, une file d'écolières en cape bleu marine qui, à la queue leu leu, découpées sur un fond de ciel blême, franchissaient une passerelle suivies par une institutrice noire et maigre comme un parapluie roulé. Enfin, sur les premiers degrés d'un perron d'église, encadrée de colonnes et de statues de saints, il avait pris Hélène avec son double dans le miroir de l'eau.

Pour en finir avec cette matinée et se réchauffer un peu car le froid était vif, ils firent escale dans une buvette, y commandèrent des grogs. Dans la douceur du moment, Hélène fut tentée de révéler enfin à Lassner cette part de vie à la fois si proche et si lourde en elle, mais se ravisa. Pour de telles confidences mieux valait, pensa-t-elle, le silence et l'isolement de la nuit. Mais comment lui parlerait-elle d'André? Comment lui parlerait-elle d'Yvonne? Saurait-elle au moins exprimer cette impression d'être sortie d'un marécage et de se trouver aujourd'hui sous une cascade d'eau claire? De son côté, Lassner écoutait les informations que diffusait un transistor posé sur le comptoir. On relatait l'assassinat (revendiqué par « Ordre noir ») d'un professeur de Gênes. Ses meurtriers, trois jeunes gens, s'étaient introduits chez lui, l'avaient attendu, cachés dans un débarras, et tué à coups de revolver en présence de sa femme et de son fils.

Lorsqu'elle habitait Paris, des faits de ce genre lui semblaient simplement lointains, sans réalité et, pour des raisons qu'elle ignorait, Marthe, dans ses lettres, ne lui en parlait jamais. Aujourd'hui, ce délire de violence et de sang lui paraissait l'œuvre de sectes fanatiques, sacrifiant, comme autrefois en Inde, leurs victimes à une impitoyable divinité.

— Ça n'arrêtera donc jamais? murmura-t-elle.

— Je crains que non, dit Lassner. Notre société est malade, et comme tout corps malade, c'est bien connu, elle sécrète ses propres poisons.

— Et on ne peut rien faire?

— Changer les hommes. Mais c'est difficile.

Il réfléchit, les mains nouées autour de son verre :

— Au Nicaragua on m'a raconté l'exécution d'un san-diniste, un garçon tout jeune. Vingt ans au plus. C'était au bord d'un lac. Il y avait des arbres pleins d'oiseaux. Comme on le poussait contre un de ces arbres, il a dit : « Vous pouvez me tuer, mais vous n'empêcherez jamais les oiseaux de chanter. » Ce récit est peut-être apo-cryphe. Il reste heureusement les poètes pour nous retenir de désespérer.

Quand il souriait, des petites rides se serraient davan-tage au coin des yeux, ses pommettes remontaient et lui composaient une physionomie plus jeune. Curieuse, la manière qu'il avait de se découvrir, de raconter par bribes des souvenirs de ses voyages, de ses amis, de sa jeunesse. Il se révélait à elle comme un livre qui s'ouvre à des pages sans suite. Et ne procédait-elle pas de même? La veille, par exemple, elle avait incidemment évoqué des traits de sa mère : une nuit, Hélène avait perçu une violente querelle entre elle et son mari. Celui-ci sortit en faisant claquer la porte. De sa fenêtre, elle le vit traverser la cour d'un pas d'homme en colère, s'arrêter à la grille, la main crispée sur un barreau puis s'affaisser lentement sur le gravier. C'est elle qui alerta sa mère, laquelle se mit à hurler : « Ce sauvage ne sait qu'inventer pour m'empoisonner l'existence! » Mais le sauvage était mort d'une crise cardiaque, et on l'enterra deux jours après. Et bien qu'il eût toujours affirmé son appartenance à « la Libre Pensée », sa femme tint à lui faire des funérailles religieuses, à orner sa tombe d'une figure d'ange éploré. Quelques mois plus tard, elle se mit en tête de marier Hélène au premier venu pour s'en débarrasser. Hélène avait alors dix-sept ans, et le premier venu fut un voisin qui avait le double de son âge et sentait furieusement le fauve. Alertée par sa nièce, Marthe accourut de Venise et tout rentra dans l'ordre.

Au retour, Pagliero remit à Lassner du courrier qu'on venait tout juste d'apporter. Il contenait une nouvelle convocation de la police à Milan et une lettre d'Ercole Fiore qui voulait lui confier un reportage, sans toutefois donner de précisions. Hélène eut l'intuition qu'une période heureuse se terminait pour elle.

Le matin de leur séparation, Hélène accompagna Lassner jusqu'au *piazzale Roma*. Sur le bateau-mouche, ils restèrent seuls à l'arrière, serrés l'un contre l'autre, sans dire un mot, à regarder l'eau couleur d'ardoise. Sur chaque rive, les palais, voilés d'une légère vapeur, semblaient bâtis non dans la pierre mais dans une pâte fine et prête à fondre, à se diluer dans cette grisaille.

Le soir, pour ne pas rester seule elle « s'invita » chez Carlo et Marthe, et c'est là que Lassner, selon leurs conventions, l'appela, lui apprit que la police tenait un suspect et qu'une confrontation était prévue le lendemain. D'autre part, Ercole Fiore lui proposait un reportage au Liban. Selon Lassner, Ercole Fiore avait une idée fixe, idiote comme toutes les idées fixes, et c'était que la troisième guerre mondiale naîtrait d'une « étincelle » au Proche-Orient. Après quoi, tout émue, Hélène l'avait écouté lui parler d'elle.

2

Le lendemain matin, Hélène rejoignit Pagliero qui marouflait l'agrandissement d'une photo prise par Lassner. Sur le territoire de l'ancienne Guinée espagnole, face aux sept fusils d'un peloton d'exécution composé de soldats africains en tenue « léopard », riait un homme à peu près nu. L'atroce provenait d'abord de ce rire qui plissait davantage la vieille face toute craquelée. Pour Pagliero il s'agissait d'un sorcier. Il avait bu un philtre qui, selon sa science, le rendait invulnérable aux projectiles de tous calibres. On voyait dans ses yeux une certitude triomphante mêlée à sa jubilation.

Ce regard poursuivait Hélène jusque dans sa chambre. Elle ne put y rester. Tout témoignait encore de la présence de Lassner, ce qui lui causait une instabilité nerveuse. Elle décida de sortir, de marcher un peu, se donna pour but une librairie près du théâtre Goldoni et se retrouva dans le hall de la poste. Une seule lettre l'y attendait. Elle eut la sensation de voir sur l'enveloppe, dans les signes écrits par André, le rire édenté du sorcier noir.

Ainsi, elle n'en avait pas fini avec ce passé absurde. Une petite pluie tombait. Elle se mit à l'abri sous un porche. Déchirerait elle cette lettre sans la lire? Elle ouvrit le pli : « Je veux absolument savoir tes intentions. Ne me dis pas que tu veux me quitter. Je ne l'accepterai jamais. » « Jamais » était souligné. Il parlait aussi d'Yvonne. « Depuis longtemps elle est hors de danger. Je m'efforce de vivre en paix à ses côtés, c'est-à dire sans reproches ni drame, sachant son immaturité, cette pente à se venger de moi. Sa tentative relevait surtout de la volonté de me nuire, de me déconsidérer, de dresser mes amis contre moi. De toute manière, rien de plus répugnant que le chantage au suicide. » Il continuait ainsi sur une demi-page, terminait en disant : « Bien entendu, tu as reçu mes lettres, mais tu ne répondras pas non plus à celle-ci. N'importe. Je me propose, dès que mes affaires me le permettront, de partir pour Venise. N'imagine pas un instant que tu pourras te dérober. Ma chère, on ne quitte pas comme ça un homme comme moi. »

Elle déchira la lettre, regarda distraitement une affiche pour un film d'Ettore Scola, des inscriptions anciennes sur un mur. Ce ton d'André pour une femme désespérée qui avait réellement voulu mourir l'écœurait, lui faisait oublier sa menace de venir à Venise. Elle n'y pensa qu'après avoir repris sa marche sous l'inépuisable crachin, tout en se reprochant son illusion qu'André lâcherait prise. Comment avait-elle pu retarder la solution la plus logique qui consistait à lui révéler la vérité? à lui parler de sa liaison avec Lassner?

De nouveau chez elle, mais alarmée par le souvenir de la dernière ligne « on ne quitte pas comme ça un homme comme moi », elle s'assit devant sa table, resta là, sans volonté, à regarder dans le vide, avec cette douleur dans la poitrine qui, par ondes successives, lui revenait.

Lassner avait rejoint le commissaire Noro à la préfecture de police, un costaud, des épaules larges, des sourcils très noirs, curieusement arqués, et une voix de laryngite.

— Content de te revoir, dit Noro, en lui désignant un fauteuil râpé. (Tout, d'ailleurs, semblait râpé dans ce bureau vétuste.)

— Pour ma part, soit dit sans t'offenser, il me semble que ces temps-ci je te vois un peu trop souvent.

— Rien que la deuxième fois, dit Noro, du même ton enjoué. Et puis, je me souviens de ta visite à la veuve de Scabia. Tu lui as pris la main et, les larmes aux yeux, tu l'as assurée que tu ferais tout ce que tu pourrais pour aider à venger son mari. Un magazine a rapporté tout au long cette scène émouvante.

— Ce n'est pas ça. Je ne lui ai pas pris la main et je lui ai simplement dit que je compatissais à sa douleur.

— N'est-ce pas la même chose?

— Et elle a raccroché.

— C'est un détail.

— Ce détail pour préciser que je n'ai jamais mis les pieds chez elle. Où d'ailleurs elle ne se trouvait plus. Je lui ai téléphoné à Cuneo, chez ses parents.

— Je sais.

— Et elle m'a dit qu'elle souhaitait que justice

soit faite, mais que ce serait selon la volonté de Dieu.

— Une brave femme.

— Et moi je pense que la volonté divine n'a rien à voir dans cette affaire, mais peut être d'autres volontés plus bassement terrestres...

— Je comprends ce que tu veux insinuer.

— J'ai même idée que, s'il s'agit vraiment d'une affaire de trafic financier, les vrais coupables — je dis les vrais — seront très difficiles à débusquer.

L'épais visage de Noro parut soudain se contracter comme un ballon qu'on dégonfle.

— Si tu es là ce matin, dit-il, c'est bien parce que nous accomplissons notre travail en conscience. Et basta. Nous avons un suspect que tu vas rencontrer. Il a vingt deux ans. Correcteur dans une maison d'édition. Il est prouvé qu'il a des attaches avec des petits groupes gauchistes.

Noro se leva. Son visage avait repris son volume normal, mais il avait perdu un peu de sa cordialité.

Comme il faisait chaud dans la pièce, Lassner retira son manteau. Il connaissait Noro depuis une demi-douzaine d'années. Courageux, efficace, plus rusé qu'intelligent, naguère il avait conduit à bon terme une affaire de meurtre passionnel des plus embrouillées. Qu'on l'eût chargé de l'enquête au sujet de Scabia, a priori ne signifiait rien de précis. Peut-être avait-on voulu utiliser sa connaissance de certains milieux de jeunes voyous plus ou moins « en cheville » avec de petits groupements politiques.

Noro entrouvrit la porte :

— Vous pouvez venir!

Un inspecteur poussa dans le bureau un garçon de

taille moyenne, brun, les cheveux bouclés, vêtu d'un pantalon américain et d'un blouson sur un chandail à col roulé. Il paraissait plus ennuyé que véritablement inquiet. Ses yeux sombres allaient de Noro à Lassner, mais s'attardaient davantage sur celui ci. (Sans doute avait-il déjà rencontré Noro.) Au cou, il portait une chaînette avec une minuscule médaille dont on ne pouvait distinguer le motif. Il avait toute la finesse des jeunes Milanais, la taille longue, les pommettes plates.

— Alors? dit Noro.

Le garçon crut sans doute qu'il s'adressait à lui et le regarda fixement. Sa pomme d'Adam monta et descendit en un mouvement convulsif qui trahit une brusque émotion. L'avait-on maltraité? Il n'avait pourtant ni l'attitude ni l'aspect d'un homme dont on a, de quelque manière, voulu briser la résistance. Lassner, cependant, en savait trop sur certaines méthodes policières pour ne pas se méfier.

— Qu'en dis-tu? insista Noro.

— Ils étaient casqués, dit Lassner.

— Bon.

Il fit signe à l'inspecteur qui sortit, tandis que le garçon attendait, les mains croisées derrière le dos, avec l'expression lasse et désabusée de quelqu'un à qui on fait perdre son temps. L'inspecteur revint. Il apportait un casque de motocycliste d'un modèle à peu près identique à celui du tueur de la photo, le tendit au garçon qui s'en coiffa, toujours du même air d'ennui, comme s'il s'agissait d'une comédie hors de tout bon sens. Derrière le plexiglas, ses yeux conservèrent leur regard excédé. L'inspecteur lui remonta le col pour lui cacher la bouche. Les quatre personnages restèrent quelques secondes ainsi, debout dans la lumière jaune qui faisait briller le casque.

— Ça n'arrange rien, dit Lassner à la fin.

— Ce qui veut dire?

— Impossible de me prononcer.

— Observe mieux.

Il fit tourner le garçon, le mit de profil.

Cela fit un jeu de lumière derrière laquelle, cette fois, Lassner distingua un peu mieux les yeux.

— Il faudrait voir avec les photos, dit-il.

— D'accord.

Noro ouvrit un dossier, en retira une poignée de photos, les lui tendit.

En fait, aucune comparaison ne paraissait réellement possible. Lassner se demanda si son scepticisme ne s'enracinait pas dans un préjugé selon lequel un assassin devait obligatoirement porter sur le visage, ou dans quelque expression du regard, un signe évident. Or, ce gaillard avait une bonne tête qui devait plaire aux filles. De lui-même il venait de retirer le casque, l'avait posé sur le bureau et considérait Lassner avec froideur, visiblement convaincu que la suite dépendait de celui-ci. Sans bouger la tête, Lassner continuait à comparer les images qu'il avait prises lui-même et les traits du garçon.

Durant ces quelques instants, Noro était allé près de la fenêtre, attendait en fumant.

— Eh bien? demanda-t-il aussitôt que Lassner eut jeté les photos sur la table.

Et sans attendre la réponse, il fit signe à l'inspecteur d'emmener le suspect.

— Tu m'as fait venir, dit Lassner, pour que je tente de

reconnaître s'il s'agit de l'un ou l'autre des assassins.
Ma réponse est que je n'en sais rien. Je n'ai rien découvert de particulier.

— Tant pis. Pour tout te dire, ce petit mec a un alibi
assez mou. A l'heure du crime, il ne se trouvait pas
encore à son travail. Raison qu'il a donnée? un train
manqué. Il habite la banlieue. Au lieu d'attendre le train
suivant, qui passe un quart d'heure plus tard, il aurait
fait du stop. Pas moyen, bien entendu, de mettre la
main sur la voiture, longtemps coincée, a-t-il dit, dans
un embouteillage à l'entrée de la ville.

— Qu'est ce que tu vas en faire?

— Le relâcher, voyons. Il va de soi que nous main-
tiendrons un œil sur lui. Il fréquente des individus inté-
ressants.

Affligée d'un gros rhume, Mme Poli gardait le lit.
La vieille Maddalena introduisit Hélène dans une vaste
pièce qui ressemblait à un véritable décor d'opéra.
Sur une estrade à laquelle on accédait par trois marches,
après avoir franchi une balustrade en bois doré, on parvenait à ce lit placé sous un dais de velours qui, par un
système de rideaux, pouvait se fermer en alcôve. A
chaque extrémité des glissières, veillaient deux cupidons en bois de rose, dodus, frisés, joufflus, l'arc en
attente. Au chevet, un long tableau représentait deux
jeunes femmes nues dans des attitudes voluptueuses.
Enfin, tout au-dessus, un aigle bicéphale tenait dans ses
serres une banderole avec, en lettres d'or, une devise
en allemand. Au creux du lit, Hélène, qui dissimulait

sa surprise, découvrit Mme Poli, la tête enfoncée dans un vaste oreiller dont les pointes supérieures se redressaient en forme de cornes.

Quoique dolente, Mme Poli l'accueillit favorablement en lui disant toutefois sa crainte de la contaminer.

— Notez, ajouta-t-elle, que pour vous c'est un risque du métier. Et vous êtes jeune! Une grippe, dans votre cas, n'a pas grande importance. Moi, ça me crève!

Pour commencer, Hélène choisit de lui lire une nouvelle de Maupassant dont le sujet comportait un conflit entre des époux, ce qui tira soudain Mme Poli de sa torpeur. L'œil flamboyant, elle vitupéra les hommes et leur comportement esclavagiste à l'égard des femmes. Trente pour cent de celles-ci, selon les plus récentes statistiques, étaient battues dans les pays d'Europe occidentale, c'est-à-dire dans des pays de civilisation chrétienne! « La civilisation chrétienne, mademoiselle Morel, parlons-en! »

Son gros corps s'agitait sous les couvertures.

— Ah, Marie pleine de grâce! Avec un Joseph d'aujourd'hui vous risqueriez bel et bien de recevoir des raclées et d'être couverte de bleus. Imaginez donc une Sainte-Vierge avec un œil au beurre noir!

Elle appréciait Maupassant et pria Hélène de lui lire à la suite une autre nouvelle du même recueil.

Comme la pensée d'André et de cette lettre avait tenu Hélène réveillée une grande partie de la nuit, vint un moment, au cours de la lecture, où la fatigue mentale l'empêcha de donner au texte ses véritables intonations. Mme Poli tourna la tête pour l'observer de son petit œil de saurien.

— Eh bien, mademoiselle, vous ânonnez!

— Excusez-moi...

— A ce que je constate, vous lisez en pensant à autre chose.

— Pas du tout, madame.

— Ou alors c'est que vous manquez de sommeil.

— J'avoue que j'ai peu dormi...

— Dites donc, vous ne devez pas vous ennuyer la nuit. Il me semble que vous rattrapez le temps perdu!

— Madame...

— Vous devriez tout de même conseiller à votre étalon de vous laisser assez de force pour vos tâches de la journée! De toute façon, je vous envie. Continuez donc. Nous allons bien voir!

Chez Hölterhoff, l'atmosphère était différente, étouffée, étouffante, avec des pas furtifs dans les couloirs. Le vieillard était à peine remis de sa grippe, et sa sœur veillait, contrariée qu'on eût maintenu cette leçon.

— Ce n'est pas raisonnable, dit-elle.

— Peut-être n'est-ce pas raisonnable, répliqua t-il, mais c'est, en tout cas, fort agréable.

Et il fit passer Hélène dans son bureau.

Plus perspicace que Mme Poli en cette occasion, il devina chez Hélène une tristesse qu'elle s'efforçait de dissimuler. Lui qui, ces temps derniers, avait remarqué une coquetterie nouvelle, qui lui allait bien, découvrait en cet après-midi qu'elle avait perdu son éclat précédent. Certes, elle était toujours aussi nette, aussi parfaite dans sa tenue, le chemisier immaculé, la chevelure soignée, mais elle faisait penser à une plante privée d'eau.

De retour chez elle, le silence de la maison lui pesa. Pagliero était déjà parti. Elle se sentait redevenir l'adolescente angoissée que, parfois, dans son humeur atrabilaire, sa mère renvoyait à la solitude de sa chambre. Pour calmer les battements désordonnés de son cœur, elle prit son remède, puis s'assit devant sa table. Écrirait-elle enfin? Sous ses yeux la feuille limitait un espace vide et blanc à donner le vertige. Elle prit sa tête à deux mains. Finalement, elle se décida pour signifier à André, en trois lignes, qu'il était inutile qu'il la rejoignît et que, depuis quelques semaines, « elle partageait la vie d'un autre homme ». Pour abrupte et provocante qu'elle fût et malgré la platitude de la dernière formule, cette rédaction lui parut convenir et elle signa d'un paraphe nerveux. Sur l'enveloppe, elle porta l'adresse professionnelle d'André, avec la mention « personnelle » soulignée, et n'eut aussitôt qu'une hâte : courir à la poste. Elle se rhabilla en se disant que cette décision était ridicule. Il était plus de huit heures du soir et sans doute ne ferait-on pas de levée avant le lendemain, mais elle ne se sentait pas la patience d'attendre et le prétexte était bon pour distraire un peu son esprit malade, s'agiter, échapper à cette maison sans âme.

Dehors, tout était sombre et calme, d'un calme de ville abandonnée, avec les boules jaunes des lampadaires et l'odeur d'eau morte qui montait des canaux. Elle passa le pont et, après avoir jeté la lettre dans la boîte, n'éprouva aucun soulagement. A gauche, dans le bureau téléphonique de nuit, un jeune employé lisait. Il releva la tête, la regarda avec reproche. Hélène lui donna le numéro de Lassner à Milan et attendit accoudée au guichet. A l'expression du garçon, elle comprit que son appel était inutile.

— On ne répond pas, madame.

— Merci. Excusez-moi.

De nouveau, le froid, les éclairages lointains et tristes. Si Lassner n'était pas encore rentré chez lui, pourquoi ne rappellerait-elle pas un peu plus tard? Cette idée lui parut judicieuse et elle se mit à parcourir les rues un peu au hasard mais toujours dans les parages de la poste, sans cesser de creuser en elle-même sa propre anxiété et d'imaginer ce que serait la réaction d'André. Pas un mot dans cette lettre qui marquât à son égard un trouble, une émotion. Le ton d'un homme sûr de ses droits. Un ton de propriétaire. Un moment, elle longea le Grand Canal, ses eaux désertes sur lesquelles serpentaient des reflets. Finalement, elle renonça à la poste, renonça à affronter le regard excédé de l'employé, pénétra dans un bar où un gros homme, après avoir entassé les chaises et les tables, répandait de la sciure sur le carrelage. Il lança à Hélène un regard surpris mais la laissa utiliser son téléphone, au bout du comptoir. Dans une glace, pendant qu'elle formait le numéro, elle vit son propre visage et s'en détourna aussitôt. Cette fois encore, la sonnerie retentit dans le vide.

3

A cette même heure où Hélène tentait en vain de le joindre, Lassner se trouvait chez Focco et Maria-Pia en compagnie d'un autre peintre, Monacelli, un barbu, au nez fort et à la peau épaisse. Il vivait dans un ancien abri pour hors bord, construit sur pilotis au-dessus d'un affluent du Pô, et peignait uniquement des paysages aquatiques, étangs, marécages, lagunes, vasières, qui suggéraient d'étranges mondes en gestation. Sa femme, Johanna, originaire de Trieste, était plus jeune que lui. Cette superbe rousse au chignon opulent avait la réputation de le tromper à longueur d'année. Quand elle croisait haut ses jambes, on voyait ses belles cuisses musclées. Elle riait sans raison, et on devinait en elle un insatiable appétit de plaisir.

Dans l'après midi, un hold up, revendiqué par « Prima Linea », dans une banque au centre de la ville, avait causé la mort d'une jeune employée, tuée d'une balle en plein front au cours de la fusillade.

— Les hold up dans les banques, pour financer la cause du peuple, j'approuve, dit Monacelli. Je trouve ça moral.

— Si l'on ne respecte plus les banques, dit gaiement Johanna, c'est la fin. Toute notre société repose sur elles.

— Sérieusement, dit Lassner, la cause du peuple, comme tu dis, exigeait-elle le cadavre de cette malheureuse fille?

— Nous sommes prisonniers de l'alternative ou Jésus ou Spartacus, dit Monacelli. Ce sont deux grands crucifiés. L'ombre de leurs croix respectives s'étend toujours sur nous. Mais Spartacus préconisait la destruction de Rome et du Sénat, qu'il tenait à juste raison pour définitivement pourris. Tandis que Jésus recommandait à des gens, à qui on bottait le cul depuis des siècles, de tendre la fesse droite après la gauche. Il faut savoir ce que l'on veut!

— Pauvre Italie, dit Maria-Pia dans un souffle.

— A Marghera et à Mestre, dit Lassner, les ouvriers des usines chimiques et des filatures doivent, comme tu dis, savoir ce qu'ils veulent. Ils se battent — eux-mêmes — pour des revendications précises. Ils ont déjà obtenu de meilleures conditions de protection contre les accidents toxiques après des grèves très dures.

— La grève ne vaut pas le fusil, répliqua Monacelli.

A ce moment, d'autres visiteurs se présentèrent : Arnaldo Bianco, un industriel, amateur de peinture, qui achetait des toiles à Focco. Il était accompagné de sa femme, une brunette aux yeux tendres avec, aux oreilles, de larges anneaux d'or. On se leva pour les présentations. On demanda ensuite à Bianco ce qu'il buvait. « Whisky sec. » Il était très à son aise, le visage gras, rasé au sang, avec un lupus sur la joue.

Johanna avait pris Lassner à part.

— Vous parlez toujours de Venise. Vous y retournez quand?

— Je pars, demain matin, pour Beyrouth.

— Quelle idée! Mais là-bas, on s'entre-tue, mon cher!

— Comme ici, comme partout, dit Lassner.

— Dommage, dit Johanna en rajustant sa coiffure avec une grâce réelle.

— Dommage?

— Mais que vous partiez! dit-elle. Et si loin! Vous avez notre numéro de téléphone, je suppose. Mona sera heureux de vous recevoir, de vous montrer des choses. Il n'est pas toujours là, mais enfin...

Pour le moment, Monacelli faisait des ronds de jambe et s'efforçait visiblement de charmer le nouvel arrivant.

— Il est comme ça, dit Johanna en riant. Il met Spartacus au fond de sa poche dès qu'il voit se pointer un riche collectionneur.

Le riche collectionneur, assis, verre en main, jambes écartées dans un fauteuil de rotin, regardait, l'œil critique, les toiles que Focco plaçait à deux mètres de lui sur un chevalet. Sourcils froncés, il approuvait parfois d'un petit grognement. Défilaient ainsi les inévitables nus de Maria-Pia, mais aussi des natures mortes aux poissons ou aux légumes, de couleurs chantantes.

— Somme toute, poursuivait Johanna, dès qu'il y a famine, guerre ou tremblement de terre, vous vous précipitez.

— C'est bien cela, dit Lassner. Nous sommes comme certaines mouches qu'attirent le pus et le sang.

— Et ça vous plaît? A vous voir on ne croirait pas que vous êtes, disons, si cruel. Vous avez pourtant de beaux yeux.

— Notez qu'il m'arrive de me reposer de ces horreurs en me consacrant à des thèmes plus...

— Il faudra que vous veniez nous voir, dit-elle précipitamment, d'un ton de confidence. Nous vivons dans une nature si douce, si apaisante. Vous aimerez. Aux beaux jours, on peut faire l'amour sur l'herbe.

Elle rit, une main sur la gorge, en le regardant de façon provocante. Sur la masse de ses cheveux rouges jouait la lumière oblique d'un petit projecteur.

— Alors? C'est promis? Vous viendrez?

Et sans attendre la réponse, elle se tourna vers son mari :

— Mona, notre ami Lassner viendra chez nous. Au printemps, bien sûr. N'est-ce pas qu'il est gentil?

— Certainement, chérie, certainement!

Pour repartir, Lassner prétexta qu'il avait ses bagages et son matériel à préparer.

— Mon Dieu, dit Maria-Pia, quel homme pressé tu fais!

— J'espère que vous le serez moins quand vous nous rendrez visite, n'est-ce pas? dit Johanna. Et ne vous faites pas tuer!

Il retrouva la rue où les lampadaires fragmentaient l'obscurité. Comme il avait déjà remisé sa voiture dans un garage, il décida de rentrer chez lui à pied au lieu d'appeler un taxi. Cette marche dans cet air vif lui convenait après l'atmosphère surchauffée de l'atelier. Il s'amusait encore de la comédie que lui avait jouée la volcanique Johanna. A cette heure, les rares voitures qui circulaient révélaient dans le jet de leurs phares les lourds immeubles de l'avenue au sommet perdu dans le noir. Lorsqu'il s'engagea dans la galerie qui condui-

sait à sa maison, il lui sembla que ses pas sur les dalles
éveillaient derrière lui une sorte d'écho. A la longue,
cette sensation lui sembla insolite. Il se retourna brusquement pour surprendre un éventuel suiveur, mais vit
la galerie déserte dans une perspective d'arcades et de
vitrines que touchaient de lointaines clartés. Il n'avait
pas peur, ou refusait d'appeler ainsi son agacement à
se sentir épié sans rien distinguer lui-même. Cependant,
il revint en arrière, parcourut environ deux cents mètres,
sursauta à un moment, mais il s'agissait de son propre
reflet dans une glace de magasin, et il se reprocha sa
nervosité.

A l'instant même où l'ascenseur le déposa sur le palier,
il entendit son téléphone appeler, se précipita, courut
jusqu'à l'appareil, l'atteignit mais trop tard. Qu'il pût
s'agir d'Hélène ne lui vint pas à l'esprit, persuadé qu'on
cherchait de nouveau à le menacer après sa récente
visite à la préfecture de police. Il alluma une cigarette,
ouvrit la fenêtre, s'offrant ainsi à la nuit, les joues mor-
dues de froid, désireux de réduire cette inquiétude misérable qui l'humiliait. Il regarda la chaussée, l'endroit
précis où Scabia avait été tué entre les feux de circulation
qui, dans ce désert, alternaient, inutiles. Toute cette
portion d'avenue, avec ses façades éteintes, ses porches
profonds et ses balcons ornés de musculeux atlantes,
composait une vaste scène abandonnée, sans acteurs
visibles, mais Lassner eut l'impression qu'ils étaient
bel et bien présents quelque part dans les zones d'ombre,
qu'ils l'observaient de loin, le visage levé, dans une
immobilité d'affût.

Le lendemain matin, Adalgisa vint prévenir Hélène que l'oncle Risi était passé avant de se rendre à sa banque. Assez tôt. Lassner avait téléphoné de Milan. Il demandait qu'Hélène l'appelât chez lui avant dix heures.

— C'est aujourd'hui qu'il prend l'avion, n'est-ce pas?

— Vers midi.

— Que veux-tu, nous autres, les femmes, nous sommes faites pour attendre.

La poste. Tout de suite, elle obtint le numéro de Milan et se précipita dans la cabine. Il y eut un instant étrange. Lassner était là, elle entendait sa respiration mais il restait muet, comme s'il était sur ses gardes, attendant que son correspondant parlât le premier.

— C'est moi, Hélène!

Aussitôt, il s'exclama, dit des mots d'affection.

— Hier soir je t'ai appelé deux fois, dit-elle.

Il expliqua qu'il s'était attardé chez Focco. Une visite courte mais aussi décevante qu'inutile. Enfin, elle était là. Oui, il partait pour dix jours avec un confrère, mais ils se sépareraient à Beyrouth. L'autre se rendait à Téhéran.

— Tu m'écriras? dit-elle, consciente de l'affligeante banalité de cette question.

Cependant, le flot de sentiments qui battait en elle était trop abondant, trop tourmenté pour qu'elle pût le discipliner, en exprimer l'essentiel. Lassner disait qu'il lui écrirait dès son arrivée, mais que les relations postales entre Beyrouth et l'étranger étaient encore précaires. Quoi qu'il en fût, il se débrouillerait pour la joindre. Elle l'écoutait en s'efforçant de réprimer une envie de pleurer qui lui gonflait la gorge. L'idée l'accablait qu'elle n'avait rien dit à Lassner au sujet d'André, qu'elle avait toujours reculé le moment de lui révéler cette situation absurde et que lui, Lassner, se trouverait éloigné dans une période difficile pour elle.

— Ma belle, dix jours, tu verras, c'est vite passé, lui dit Adalgisa.

Hélène lui sourit, fit un petit signe approbateur et courut s'enfermer dans sa chambre. Elle jeta un coup d'œil aux derniers clichés pris par Lassner, où elle figurait, joyeuse, impudique, rassasiée de plaisir, marquée par tous les sortilèges de la passion amoureuse.

D'abord entièrement tournée vers Lassner, son imagination glissa vers André, réveilla ses doutes, rétrécit son esprit, le fixa sur un souvenir déchirant. A dix ans, torturée par la peur que lui inspiraient ses parents, après une histoire de composition ratée, elle avait décidé de mourir et s'était penchée sur le puits de la maison, profond de six ou sept mètres, avec la tentation de s'y jeter. On ne la retrouverait pas tout de suite et de longues et peut-être anxieuses recherches puniraient — pour commencer — ceux qui n'avaient pas voulu l'aimer. A cette soif d'amour, Lassner, aujourd'hui, apportait cette eau merveilleusement fraîche qui lui avait toujours manqué.

Elle n'eut pas de séance chez Mme Poli. Quand elle se présenta, Maddalena, plus jaune, plus coupante que jamais, lui annonça que la grippe de Madame avait empiré, que le docteur interdisait les visites. Et d'écarter les bras comme si Hélène avait eu l'intention de forcer le passage! Elle ajouta avec un vilain sourire :

— Mais ne craignez rien, mademoiselle! Madame vous assure que vous serez tout de même payée. Dormez tranquille!

— Ce n'est pas ce qui m'importe, dit Hélène. Souhaitez-lui, de ma part, qu'elle se rétablisse très vite.

— Pour demain, conseilla la vieille, vous feriez mieux de téléphoner. Vous ne risquerez pas de vous déranger pour rien.

Et d'un geste brusque, elle lui claqua la porte au nez.

Hélène ne sut d'abord que faire de cette liberté. Finalement, elle se rendit chez Marthe. Marthe devait assister avec Carlo à une réception du maire. Elle était en combinaison rose crevette et se préparait, le visage enduit d'une crème de beauté épaisse comme une couche de plâtre et le crâne encombré de bigoudis. Hélène comprit qu'elle ne pourrait jamais se confier, parler de Lassner ou d'André à cette figure un peu clownesque. La robe qu'Amalia venait de repasser était étalée sur le lit, une robe couleur tabac avec un col à longues pointes.

— Tu vas m'aider, dit Marthe. Elle a besoin de retouches à la ceinture.

Pour ne pas briser son masque, elle s'exprimait en remuant à peine les lèvres, dans un marmonnement assez comique.

— Et te voilà seule, ma petite! Ah les femmes de reporters, c'est comme les femmes d'aviateurs ou de marins : des Pénélope!

De chez Marthe, elle partit pour sa leçon chez Sardi. Tout se déroula sans incident jusqu'à un certain moment. Selon son habitude, le jeune homme la reconduisait jusqu'au palier en traversant l'antichambre où, dans la pénombre, on distinguait les lents mouvements d'animaux dans les bacs. Avec leurs écailles, leurs yeux membraneux, le battement spasmodique de leur gorge, ils suggéraient une vie des premiers jours du monde.

— C'est mon père qui les a fait venir d'Amazonie et des Philippines. Pendant une période, il s'est entiché de ces petits monstres et les a collectionnés. Aujourd'hui, il s'en désintéresse. Il a bien d'autres soucis.

Et pour lui montrer un pensionnaire plus curieux que les autres — une sorte de dragon minuscule, au corps cuirassé, hérissé de pointes, la tête allongée sous de fines plaques d'émail —, il prit Hélène par la taille, dans un geste un peu timide, mal assuré. Sans heurt, Hélène se dégagea en repoussant le bras qui déjà l'enlaçait. Ce refus nonchalant parut inspirer au garçon une audace frénétique. Il tenta soudain d'attirer Hélène contre lui, de la retenir dans ses bras, tout en lui fourrant sa tête dans le cou. Elle sentit ses lèvres, leur succion avide, se cambra, lutta pour le repousser, desserrer cette étreinte et, dans cet effort, perdit son sac à main. Haletant, tout pâle, les cheveux sur le front, le garçon la regarda avec un mélange de surprise et de rancœur puis se baissa, ramassa le sac, le lui tendit et sans un mot l'accompagna jusqu'à la porte. Hélène avait repris son calme. Elle lui dit, tout en enfilant ses gants et sans montrer son envie de rire :

— Si vous recommencez, vous devrez renoncer à mes visites.

— Non, dit-il. Revenez. Je vous en prie : revenez.

Il salua Hélène d'un bref mouvement de tête. Ses yeux, à présent, s'étaient ternis, lui donnaient une expres sion d'humilité. Les mêmes torchères électriques éclairaient le froid et solennel escalier d'onyx. Hélène n'en voulait pas à ce jeune daim, le trouvait plutôt pitoyable. Pour la suite, elle aviserait.

En bas, comme à l'accoutumée, le portier colosse l'attendait avec son chien. (Pour la première fois celui-ci gronda un peu en la voyant.) Tous deux l'accompagnèrent jusqu'à la porte. On manœuvra pour elle verrous et serrure.

Le lendemain, elle avait à peu près oublié l'incident. Elle était encore en robe de chambre, à préparer son thé, lorsque, de bonne heure, Adalgisa lui monta une lettre que le facteur venait d'apporter. Avant de prendre l'avion, Lassner l'avait écrite et postée à l'aéroport.

— Tu es contente, n'est-ce pas ?

Adalgisa était aux anges. Elle vivait une histoire belle et triste comme le sont les séparations entre amants.

— Ce soir, tu dîneras avec nous. Pag' et Anna-Maria seront là. Tu ne vas pas rester seule ?

Grâce à cette lettre, Hélène échappa toute la journée à la mélancolie de sa solitude et au petit enfer qu'André avait allumé en elle.

A la fin de la matinée, elle téléphona chez Mme Poli. La voix âpre et rancunière de la vieille domestique lui répondit :

— Ah c'est vous? Madame ne reçoit pas.

— Je rappellerai donc demain.

— A votre aise.

Et de raccrocher.

Dans la soirée, elle redescendit pour la leçon à Mario. Pendant qu'avec Adalgisa elle attendait le retour du gamin, un télégraphiste arriva. Le télégramme était pour elle. Dès son arrivée à Beyrouth, Lassner le lui avait expédié. Il disait qu'il avait fait un voyage sans histoire, qu'il pensait beaucoup à elle et terminait sur deux mots : *sempre tuo,* toujours tien. En repliant soigneusement la dépêche, Hélène se sentit la tête claire et libre.

Là dessus, Mario rentra, le chat dans son panier, après une station chez Pagliero, d'où son retard. Il voulait, expliqua-t-il, que Cassius s'habituât à l'odeur des rats et s'aguerrît en vue des chasses futures. Il était un peu déçu que son champion, au lieu de s'activer à repérer d'ores et déjà les positions de l'ennemi, préférât se tenir près de la cheminée pour en savourer béatement la chaleur.

Après sa leçon, Hélène resta donc pour le dîner. Si Adalgisa avait invité ce soir-là Pagliero et Anna-Maria, c'est que celle-ci venait de passer une nouvelle visite médicale et partait bel et bien cette fois pour le sanatorium. Comme elle était cafardeuse, on lui offrait cette

soirée dans l'espoir de lui changer un peu les idées.
Learco, le mari d'Adalgisa, rentra de Marghera, toujours massif comme un haltérophile. Il dit qu'avec Anna-
Maria partiraient trois autres ouvriers d'une annexe de
l'Insaccatori où l'on ensachait du chlorure de poly-
vinyle, aussi gravement intoxiqués qu'Anna-Maria. A
ce qu'il savait, le tiers au moins des pensionnaires du
sana en question étaient incurables.

— Tâche de tenir ta langue, dit Adalgisa. Ne va pas
parler de ça devant cette pauvre fille. Elle n'a pas déjà
un si bon moral.

— C'est évident, dit Learco.

Il demanda à Hélène des nouvelles de Lassner. Bien
arrivé au Liban? Bravo! Quelle chance il avait! Lui, au
moins, voyait du pays! Comme Adalgisa lui faisait les
gros yeux : quoi encore? On ne pouvait plus parler?

Ensuite il raconta : quatre mois auparavant, Lassner
était venu à Mestre visiter une filature. Reportage clan-
destin. On lui avait trouvé un truc pour opérer en douce.
Il se trouvait dans un atelier où, toute la journée, les
ouvriers travaillaient dans une atmosphère d'humidité
à quarante-quatre degrés, quand les vigiles l'ont repéré
et lui ont piqué ses films avant de l'expulser.

Le petit jeu entre Adalgisa, soucieuse de discrétion,
et Learco, avait amusé Hélène. Elle souhaitait que celui-ci
parlât encore de Lassner, qu'il le recréât pour elle, mais
Pagliero et Anna-Maria arrivaient, poussaient la porte,
pénétraient dans la pièce accompagnés par une bouffée
de froid. Quand Anna-Maria, le teint blême et le sourire

forcé, eut retiré son imperméable, elle se montra en jupe de laine avec un pull-over qui moulait son buste plat, étonnamment amaigri. Elle passa dans la chambre de Mario pour embrasser le gamin avant qu'il ne fût endormi, et Adalgisa en profita pour, à mi-voix, recommander aux hommes de surveiller leurs propos.

— Pas croyable! murmura Pagliero avec tristesse.

Hélène comprit ce qu'il voulait dire. Cette menace sur la jeune femme qu'on entendait, là, tout près, bavarder affectueusement avec l'enfant, impliquait un destin injuste, scandaleux.

4

Le lendemain, Marthe lui raconta sa soirée à la mairie, insista sur la somptuosité du buffet, l'excellence d'un certain petit vin. Le reste comptait peu. Avant le déjeuner, Hélène, comme convenu, téléphona chez Mme Poli. Oui, elle pouvait venir, claironna la vieille Maddalena. Madame allait mieux. Madame la recevrait.

Au pied de l'escalier, elle rencontra Amalia de retour du cimetière. Celle-ci avait encore le visage congestionné, les yeux rougis sans qu'on pût démêler la part des larmes et du vent glacé.

— Ah, mademoiselle Hélène, dit elle, à l'instant même un homme vient de me parler à votre sujet. Je ne savais pas que vous étiez là-haut. Sinon, bien sûr, je vous aurais appelée.

— Que voulait-il?

— Il voulait votre adresse. J'ai pensé que c'était pour des leçons.

— Il n'a rien dit de particulier? Il n'a pas laissé un message?

— Non, non. Rien. Il demandait seulement votre adresse. J'ai bien fait de le renseigner?

— Certainement. Comment était-il?

— La quarantaine. Avec de gros sourcils. Ah, et un

très fort accent français. Vous savez, il y a tout juste trois minutes! Il ne doit pas être loin. Si j'avais su que vous étiez dans la maison! mais je rentre à peine de San Michele.

— C'est très bien comme ça. Ne vous tourmentez pas. Et encore merci.

Dehors le vent la frappa au visage. Même sans la description d'Amalia, elle aurait compris qu'il s'agissait d'André.

Le capuchon de son imperméable rabattu sur les yeux à cause du crachin, elle se dirigea vers la rive du Grand Canal pour emprunter le pont.

Elle était émue, certes, mais beaucoup moins qu'elle ne l'avait pensé dans les heures d'attente et d'anxiété. De toute manière, elle n'éprouvait rien de cet accablement ressenti le jour où elle avait reçu la lettre. Elle atteignit le quai. Une vedette naviguait vers Saint-Marc, son étrave fendant l'eau clapoteuse. Tout le ciel bougeait. Des nuages très bas fuyaient en direction de la mer. L'autre rive, en face, Hélène la regarda comme un mystérieux territoire où elle allait s'engager avec l'illusion que personne ne pourrait l'y rejoindre, retrouver sa trace. Après le marché, elle entendit un pas derrière elle, dans le silence onduleux que créaient les sautes de vent.

— Comme on se retrouve, dit André en lui prenant le bras.

Offusquée par ce geste de possession, Hélène effectua un mouvement de retrait, mais il serra plus fort, maintint sa prise à lui faire mal.

— Nous avons à parler, n'est ce pas?

Il portait un manteau sombre et un feutre. Comme un

homme sûr de conduire une partie à sa guise, il souriait avec une certaine fatuité.

— Pourquoi ne pas entrer dans ce café? dit-il.

Elle obéit, sans souffle à présent, les muscles du visage raidis. Parce qu'il la tenait toujours aussi étroitement par le bras, peut-être donnaient-ils aux passants l'impression d'un couple sans histoire. Elle se découvrit seule, livrée à lui sans espoir d'aucun secours.

L'intérieur du café était tout simple, avec d'anciennes affiches d'expositions et, au-dessus du comptoir, entre les bouteilles, deux faisceaux de petits drapeaux. A volume réduit, une radio diffusait de la musique. Elle vit les consommateurs dans la salle et son émotion faiblit. Un serveur l'aida à se débarrasser de son imperméable. Quant à André, il avait déjà dépouillé son manteau, paraissait très à l'aise, tirait sur ses manchettes ornées de boutons à pierre fine. La même pierre brillait au milieu de sa cravate. Fermement, Hélène dit qu'elle avait rendez-vous à deux heures précises dans une maison éloignée.

— Tu as le temps. Mais tu peux te dégager pour cette fois, compte tenu des circonstances.

— Il n'en est pas question. Je viens tout juste de confirmer ma visite.

Sa facilité à répliquer parut agacer André.

— Un bon prétexte est facile à trouver, non?

— Non.

Il prit alors un ton vaguement ironique :

— C'est de leçons que tu vis, à ce qu'on m'a dit? (« On », c'était sans aucun doute Amalia.)

— Provisoirement. Le mois prochain je serai employée dans une banque.

A dessein, elle forçait la vérité. Carlo n'avait parlé que d'un engagement temporaire.

Peut-être à cause de cette animation autour d'elle (et quatre jeunes gens conversaient joyeusement sur les banquettes les plus voisines), Hélène n'éprouvait plus de nervosité, se sentait au contraire assurée, décidée à ne pas relâcher sa vigilance. Elle savait qu'il y avait chez André deux êtres, ou plutôt deux moitiés de lui-même, l'une vaniteuse, ondoyante, pleine de souplesse et de ruse, l'autre marquée par une froide, une implacable énergie. Deux moitiés discordantes et qui, cependant, se rejoignaient, se mêlaient parfois, donnant au regard cet éclat un peu cynique. Il attendait que le serveur en eût terminé avec eux. Ses traits assez durs, sa bouche qui souvent souriait (mais les commissures vers le bas) donnaient l'impression que rien ne pouvait réellement peser sur lui, le dévier de l'attitude ou du comportement choisi. Ce n'était pas réellement force d'âme mais inaptitude aux doutes, aux interrogations de la plupart des êtres. Le souvenir d'Anna-Maria et de la soirée de la veille la frôla, avec cette même charge d'émotion que pour le souvenir d'Yvonne.

— Donc, te voilà installée ici. Et, si je comprends, tu n'envisages pas de retourner à Paris. C'est ça?

— C'est ça.

Ou bien, pensait elle, il jouait la comédie, ou bien il n'avait pas reçu sa propre lettre. En fait, le courrier italien était devenu l'un des plus lents d'Europe. De toute manière, elle était sur ses gardes pendant qu'il tournait machinalement la cuiller dans son café.

— Décision irrévocable?

— Irrévocable.

— Nous verrons.

Elle avait allumé une cigarette, moins par goût que pour prendre une contenance.

— C'est tout vu, dit-elle après une bouffée, et sûre que les quelques secondes qu'elle avait ménagées renforçaient le ton de provocation.

— Tu ne veux pas savoir comment je t'ai retrouvée?

— Quelle importance?

Elle ne lui avait jamais parlé de cette manière, et il la regarda fixement mais sans marquer ni surprise ni contrariété. Au comptoir, deux hommes qui venaient d'entrer avaient jeté sur eux des regards intrigués. De son côté, elle les observa comme s'ils offraient eux-mêmes un spectacle digne d'intérêt.

— Mon obstination peut au moins te prouver que je suis décidé à ne pas repartir seul.

— Tu vérifieras que mon obstination à rester est au moins égale à la tienne.

Il hocha la tête en souriant comme s'il appréciait cette petite passe d'armes. La musique de la radio continuait en sourdine, parfois interrompue par un incompréhensible commentaire qui paraissait agacer André.

— Pour mes affaires, reprit-il, j'ai dû me rendre à Montpellier. Au passage, j'ai vu ta mère. C'est elle qui, sans difficulté, m'a fourni l'adresse de sa sœur. Et là, dès le seuil, une brave femme...

— Je sais.

— Je me rendais donc chez toi quand, par un heureux hasard...

— Heureux? Vraiment?

— Tu ne me demandes pas comment va ta mère?

— J'ai des nouvelles.

— Sais-tu qu'elle se préoccupe beaucoup à ton sujet?

— Je n'en suis pas certaine.

— Mais oui. Elle m'a dit : « Hélène est une fille qu'il faut mener durement. Une vraie chèvre. Tout en elle est imprévisible. Et elle fera son propre malheur. »

— Ce n'est pas, je suppose, pour me rapporter ces radotages de vieille femme que tu es venu?

— En effet. Il existe en cette saison un vol quotidien sur Paris. Par Alitalia. Tu peux régler tes affaires. Dès que tu seras prête, nous partirons.

Elle reconnaissait là sa manière de disposer des autres, de leur forcer la main. Comme sa résistance nerveuse avait faibli, elle alluma une nouvelle cigarette en prenant son temps pour rassembler ses forces.

— J'ai des raisons de rester, dit-elle.

— Quelles raisons? Je n'en vois aucune.

— De fortes raisons.

— Tu aurais pu me les écrire.

— Je l'ai fait. Un peu tard, il est vrai.

— Rien reçu. De toute manière, lettre ou pas lettre, ça n'aurait rien changé. J'étais décidé à venir. Et, d'ailleurs, tes raisons, je les connais.

— Je ne crois pas.

— Mais oui. Il y a Yvonne! Et cette histoire! Mais j'ai été patient! Et du temps s'est écoulé! Bon Dieu, c'est fini!

— L'idée que je peux être liée à un autre homme ne te vient pas à l'esprit?

Il s'était mis à fumer, lui aussi, et la question le prit à l'instant où il tapotait sa cigarette au-dessus du cendrier, la main en avant. Il replia celle-ci avec une perceptible lenteur puis secoua la tête :

— Non.

— Tu ne me crois pas? demanda Hélène.

— Non. (Et avec un peu de vivacité :) Qu'est-ce que ça changerait? De toute manière, c'est un vieux truc. Ce qui est certain, c'est qu'à présent, je suis là.

Ils se regardèrent longuement, comme pour deviner la véritable pensée de l'autre, mais chez André une lueur nouvelle s'était allumée dans son œil qui effraya un peu Hélène.

— Ne parle plus de ça, dit-il à la fin d'un ton bas. Tiens-le pour un bon, un très bon conseil.

Elle voulut réagir, montrer le télégramme. Serait-il convaincu? Mais par-dessus la table, il lui saisit l'avant-bras et le serra durement, le buste incliné vers elle. D'une secousse, elle tenta de se libérer et comme son effort était vain, elle se leva, prête à crier. Mais, dans le mouvement qu'elle fit pour se redresser, elle renversa sa propre tasse de café à laquelle elle n'avait pas touché. La tasse s'écrasa sur le carrelage, son contenu répandu en flaque luisante. Dans le même temps, toutes les voix se turent, tous les visages se tournèrent vers eux. La musique de la radio continua dans ce silence, en révéla davantage la tension insolite. Le serveur, un jeune homme au teint coloré, contourna le comptoir, fit deux pas vers le couple, s'arrêta, indécis. Des étrangers. Et qui se querellaient. Malgré sa peur et sa confusion, Hélène comprit qu'elle avait là un allié, marcha vers lui, lui demanda son imperméable. André ne bougeait pas. Dans la glace, elle le voyait fumer. En accompagnant Hélène jusqu'à la porte, le serveur lui dit :

— Si vous avez besoin de quoi que ce soit, madame...

166

Elle le remercia, s'éloigna rapidement. Tout son corps lui parut privé de force comme après une hémorragie. Contre le froid, elle jeta l'imperméable sur ses épaules. D'énervement, elle pleura à bord du bateau-mouche qu'elle avait pris (il arrivait juste!) pour mieux distancer André au cas où il se serait jeté à sa poursuite. Mais non. Le quai était désert. Personne n'était sorti du café.

5

— Que vous arrive-t-il? lui demanda Mme Poli, dressée à demi sur son lit, appuyée à deux gros oreillers entre les rideaux et les dorures.

Assise à hauteur du chevet, Hélène ne parvenait pas à répondre, encore bouleversée, les yeux gonflés. Pour mieux l'observer, Mme Poli avait chaussé des lunettes épaisses qui tenaient mal sur son nez trop court.

— Allons, ne soyez pas idiote. Dites-moi ce qui ne va pas. Vous vous êtes disputée avec votre ami? C'est ça? Tout s'arrangera. Et puis, ma chère, un de perdu, vous savez... Il ne faut pas accorder à un homme trop d'importance. A moins, bien entendu, qu'il ait au déduit des dispositions véritablement exceptionnelles.

Elle alluma une cigarette, dit que Maddalena allait lui servir du café, prit le téléphone intérieur dans sa main chargée de bagues, appela l'office.

Hélène tenta de refuser mais rien n'y fit. Peu après, la vieille domestique entra avec son plateau, franchit la balustrade, repartit en traînant les pieds sous le rire des cupidons qui, là-haut, semblaient se gausser d'elle.

— Bon. Où est-il passé, votre pigeon voyageur?

— Il est parti pour Beyrouth.

— Ah, c'est pour ça! Et vous avez peur pour lui!

Mais, voyons, à la guerre, tout le monde n'est pas tué! Et puis, là ou ailleurs! Ce matin à la radio, on parlait d'un attentat à Madrid. l'ETA qui a tué hier un officier en pleine rue. Et deux personnes proprement trucidées à Istanbul! Au Guatemala, il était question d'une bombe dans un marché! Vous voyez bien! Et ici, en Italie, c'est un festival! Est-ce que ça vous empêchait de vous envoyer en l'air chaque nuit? Je présume que vous rattrapiez votre retard et que votre photographe sait la différence entre une chambre à coucher et une chambre noire! Et avec le corps charmant que vous avez, oui, je sais de quoi je parle, il doit avoir de nombreux sujets d'inspiration. Buvez donc ce café. Et tâchez de sourire. J'ai horreur des figures de carême. Celle de mon mari, je l'ai supportée pendant vingt-cinq ans!

Comme d'habitude, Mme Poli s'exprimait en français, et son éloquence étourdissait davantage Hélène.

— Donc, poursuivit Mme Poli, les bras étendus sur le traversin comme si elle imitait l'aigle à deux têtes, les ailes déployées au-dessus d'elle, vous avez accompagné votre ami à l'aéroport et vous en revenez en pleurant comme une imbécile.

— Non, madame. Il est parti cela fait trois jours.

Mme Poli referma les bras, les croisa sur sa vaste poitrine qui faisait un sillon profond dans le décolleté de sa chemise.

— Trois jours, dites-vous? Mais vous avez un petit cœur de pensionnaire! Vous n'allez pas me dire que depuis trois jours vous n'arrêtez pas de pleurer! Je sais d'expérience que l'amour rend stupide, mais à ce point! Voyons. Est-ce qu'il vous a donné des nouvelles?

— Oui.

— Bonnes?

— Oui.

— Eh bien alors! Et combien durera encore son absence?

— Une semaine!

Cette fois, Mme Poli se tut mais la regarda par dessus ses lunettes, les lèvres pincées. Elle ne pensait plus à ironiser, alertée par un signe nouveau chez sa lectrice, un signe un peu trop ténu pour la guider mais qui la laissait soupçonneuse.

— Rien d'autre? demanda t-elle.

— A propos de quoi, madame?

— De ce qui, avant que vous veniez ici, vous a fait pleurer.

Hélène commençait à se ressaisir et comprenait que Mme Poli se rapprochait peu à peu d'une vérité qu'elle répugnait, en tout état de cause, à lui confier.

— C'est peu de chose, madame. De l'énervement.

Un peu sec, le ton. Pour marquer les limites que la grosse dame ne devait pas dépasser.

— Bon. Admettons. Que me proposez-vous?

— Des pages de Malraux, madame.

— Cet épileptique? En fait, c'est de circonstance. Prenez donc *la Condition humaine*. Il y a cet admirable chapitre où un terroriste chinois se jette avec une bombe sous la voiture de je ne sais quel énergumène. Ou je me trompe ou ce garçon consentait d'avance à mourir avec sa victime. Convenez qu'aucun de nos tueurs, aujourd'hui, n'a ce genre d'élégance.

Après Mme Poli, Hélène devait rejoindre Hölterhoff. Dès qu'elle fut en bas, devant la porte, son inquiétude reparut. Elle doutait que l'algarade dans le café eût découragé André. Tout au contraire, elle l'imaginait blessé dans sa vanité, exaspéré, et plus décidé encore à la contraindre, à la ramener à sa condition de femme qui attend chaque soir le bon plaisir de son amant. Après le drame d'Yvonne, elle avait davantage compris la nature presque primitive de son esprit, l'étroitesse de ses vues sur la vie et sur les êtres. Comme elle disposait d'un temps suffisant pour vagabonder avant de se rendre chez Hölterhoff, l'idée lui vint de prendre le bateau mouche de la ligne numéro 5 qui la conduirait par l'Arsenal jusqu'à Murano et au retour la laisserait au débarcadère des Gesuiti, c'est à dire non loin du lieu de rendez-vous.

A bord, seulement trois ou quatre passagers. Elle s'assit à l'avant, entre les vitres voilées d'embruns. Face à face avec elle-même elle s'avoua sa faiblesse. Si elle avait répugné à retourner chez elle, la crainte d'André en était la vraie et unique raison. Elle se dit qu'elle avait besoin de recouvrer des forces, d'augmenter sa capacité de résistance et que ce répit était favorable. Puis une crainte lui durcit le cœur, qu'André s'obstinât, s'attardât jusqu'au retour de Lassner et ne provoquât quelque incident capable d'altérer son bonheur. Elle y songea longtemps, sourdement révoltée par l'attitude d'André, son cynisme, son mépris pour sa propre liberté. Mme Poli se serait sans doute amusée à découvrir qu'une fille aussi insignifiante qu'elle — « pas même jolie », avait-elle dit un jour — se trouvait littéralement prise entre deux hommes.

Après sa leçon, M. Hölterhoff et sa sœur l'invitèrent à dîner car ils avaient pour hôte une vieille amie suédoise qui savait le français et serait certainement heureuse de la connaître.

Pour ce repas, Magda avait sorti sa vaisselle ancienne et ses couverts d'argent. Elle avait également préparé des chandeliers qui, pendant le repas, et toutes les autres lumières éteintes, éclairèrent les trois vieillards en donnant aux visages un charme d'autant plus désuet que la dame suédoise avait revêtu un frais corselet de paysanne à manches bouffantes, et que Magda portait une robe à col montant, bordé de dentelle, avec un ruban de velours dans ses cheveux neigeux. On parla de la France, de Paris, des vins de Bourgogne et de Champagne, des audaces de certaines jeunes romancières, tout cela avec des rires qui creusaient les rides et inquiétaient la flamme des bougies. Il y eut aussi un orage, avec du tonnerre et ses roulements de tôles frappées. Cela n'émut personne, sauf lorsque Hélène fut sur le point de s'en aller. Tous la supplièrent alors d'attendre une accalmie.

Lorsqu'elle repartit enfin par les rues mouillées, le bruit de ses propres pas sur la dalle et leur écho lui rappelèrent que, dans cette ville, un danger rôdait pour elle. Jusqu'à sa maison elle ne rencontra qu'un seul être vivant, un chat efflanqué, un de ces vieux truands aux oreilles déchiquetées, à la queue en rapière et qui rasait les murs en quête d'un abri.

La porte sur la rue était fermée à clé. (Pagliero ne partageait pas le dédain de Lassner pour les serrures.) Dès qu'Hélène eut poussé le battant, et avant même d'allumer, elle distingua la tache blanche de l'enveloppe sur le carrelage.

Sur une de ses cartes, André avait griffonné un court message. Il avait dû l'écrire en hâte, mal abrité de la pluie, car l'encre, par endroits, en était légèrement diluée. Il attendait, disait-il, qu'elle l'appelât le lendemain dimanche, le matin, sans faute, à l'hôtel dont il donnait le nom et le numéro de téléphone. Rien d'autre : trois lignes d'une écriture rapide (il devait être passablement énervé) qui s'étiraient en procession de chenilles bleu-noir. Ceci encore : les deux mots « sans faute » étaient soulignés.

Elle ne lui téléphonerait pas, bien entendu. Toute occasion de lui prouver son indépendance devait être exploitée. De toute façon, elle allait partir l'après-midi pour Mestre, avec Adalgisa, rejoindre Anna-Maria et mettre celle-ci dans le train à destination du sanatorium où Pagliero l'accompagnerait. Et, le soir, elle était invitée à dîner chez Carlo et Marthe. Accepter d'expliquer tout cela à André eût été reconnaître sa soumission. Donc, se taire. Une partie de sa résolution s'appuyait aussi, elle en convenait, sur le fait que, la porte du bas étant verrouillée, André, s'il revenait avant qu'elle n'eût rejoint la gare, en serait pour ses frais. Elle recon-

nut qu'il y avait, dans cette éventuelle situation d'assiégée, quelque chose d'humiliant mais aussi de comique,
et passa néanmoins la matinée l'oreille au guet, tout en
se livrant aux tâches routinières de la toilette et du
ménage. Par moments, elle se tourmentait pour l'avenir. Que résulterait-il de quelque affrontement entre
Lassner et ce passé qui surgissait dans toute la violence
d'un orgueil exaspéré?

A Mestre, il fallut défaire les bagages d'Anna-Maria
pour y caser les cadeaux apportés par Hélène et Adalgisa. A l'instant de partir, et déjà sur le seuil, Anna-
Maria se retourna, jeta un coup d'œil à son logement
comme pour emporter en elle cette image. Pagliero,
endimanché — cravate et veste de cuir —, avait retenu
un taxi. On s'y entassa.

Lorsqu'ils arrivèrent, le convoi était formé. Dans le
compartiment se trouvait déjà une vieille paysanne
qui regarda le visage cendreux d'Anna-Maria d'un air
de compassion.

Vers une heure, irrité par une vaine attente, André
était venu jusque devant la maison d'Hélène, avait
frappé avec insistance en écoutant le rebondissement
en écho de ses appels. Il attira l'attention d'un gamin
qui jouait dans la rue avec un chat.

— Vous cherchez Pagliero?
— Non, une dame française. Elle habite là.
— Hélène?

— Cela même.

— Elle vient juste de partir. Elle est à Mestre avec ma mère.

— Qu'est-ce qu'elle est allée faire à Mestre?

— S'occuper d'Anna-Maria qui est malade. Vous voyez mon chat? Il s'appelle Cassius.

— Quand rentrera-t-elle?

— Ma mère rentrera ce soir. Hélène, je ne sais pas. Elle ne m'a rien dit, à moi.

André observa le gamin, sa tête brune, ses yeux mobiles d'écureuil. Somme toute, dans sa candeur, il venait de lui révéler qu'Hélène se fichait de lui.

— Comment t'appelles-tu, mon petit?

— Mario.

— Eh bien, Mario, il est inutile que tu parles à Hélène de ma visite.

— Pourquoi?

— C'est une surprise, tu comprends?

— Ah bon? Vous êtes Français, vous aussi?

— Voilà. Et merci. Tu es un gentil petit bonhomme.

Que ferait-il de ce dimanche après midi? Cette ville l'écœurait. Toute cette eau! Et la pluie suspendue au-dessus des toits, toujours prête à dégouliner!

Il entra dans un restaurant, commanda une grillade et une salade. Dans cette salle, peu de clients. La radio diffusait en sourdine une chanson qui lui remit en mémoire la scène idiote de la veille dans le café. Il se reprocha son emportement, regretta d'avoir dévié de l'attitude conciliante qu'il s'était fixée. Tout serait un

peu plus difficile à présent, mais il s'efforcerait de jouer
les repentants. Dans la circonstance, une bonne dose
d'hypocrisie serait indispensable. Cette petite provin-
ciale qu'il avait déniaisée s'accordait de façon parfaite
à ses goûts, ne posait jamais de questions, ne demandait
jamais rien, ne pesait pas sur sa vie. S'il ne venait pas
la rejoindre, elle se résignait volontiers, et jamais des
« tu pars déjà? », des « comme tu arrives tard! » et des
« quand reviendras-tu? ». Une perle!

Avant Hélène, parmi ses liaisons les plus savou-
reuses, figurait une petite dactylo dont la minceur
androgyne l'excitait, un joli bout de femme mais nerveuse, instable, toujours à le harceler, à l'accabler
d'appels téléphoniques. Il avait dû s'en débarrasser.
Hélène, elle, était la discrétion même. Et sans jamais
d'« états d'âme » comme Yvonne, avec ses tristesses,
ses regards éplorés. « *Cosas de mujer* », affaires de
femme, disait la domestique espagnole d'Yvonne quand
il lui demandait de quoi souffrait celle-ci. Avec Hélène,
rien de tel. Réservée, tranquille, soumise...

Il ne croyait absolument pas à l'existence de cet
amant. Elle était encore malade au souvenir de ce
drame qui l'avait profondément marquée. Et lui n'avait
pas compris qu'il était bon de la ménager, de se montrer compréhensif. Pour tenter de le rebuter, elle avait
inventé cette histoire. Mais il la savait trop timide, trop
repliée sur elle-même, sa mère en convenait : « Elle
refuse les hommes. Et pourtant les demandes en mariage
ne lui ont pas manqué. » Une vieille conne, la mère.
Et certainement vacharde. Lui aurait aussi bien confié
sa fille sachant que celle-ci courait un risque.

Il sortit. La pluie, bien entendu. Et penser qu'il y

avait des tas d'imbéciles en voyage de noces qui
venaient faire l'amour dans ce marécage. Et l'odeur,
bon sang! Après déjeuner, cette odeur d'eau pourrie!

Il marcha cependant sans hâte. Et que ferait-il de
ces heures? Il retrouvait une rancune hargneuse à l'égard
d'Hélène qui aurait dû, pour lui, se libérer de cette visite
à Mestre dont le gosse avait parlé! Devait à coup sûr
avoir trouvé sa lettre sous la porte. Mais elle, si passive,
se rebeller? En fait, ce qui l'attachait le plus à Hélène,
n'était-ce pas, en premier lieu, cette passivité? Un corps
charmant, certes. Et des seins de statue antique! Avec
elle, qui ne sollicitait jamais, ou n'osait jamais solliciter le partage du plaisir, il pouvait surmonter cette
angoisse qui — parfois — l'avait pris avec d'autres
femmes. Même avec Yvonne. Une angoisse dont il
croyait, à tort ou à raison, pouvoir situer l'origine. Au
temps de son service militaire, il avait suivi une prostituée, une fille plus âgée que lui qui l'avait conduit dans
une chambre misérable — « ne regarde pas, chéri, c'est
en plein désordre » —, une chambre qui sentait le grésil
et le beurre rance. La fille avait des dessous fanés, des
seins déchus. L'échec avec elle lui avait laissé une humiliation, un dégoût dont il se souvenait encore après tant
d'années. Il se souvenait même des mots qu'elle avait
dits, du sourire dont elle les avait accompagnés : « Hé
bien, mon chou, on fait flanelle! » Et ce mot d'argot tel-
lement ignoble! Il avait feint de prendre le propos avec
bonne humeur, avait mis sa défaillance au compte de
la fatigue, d'une épuisante journée d'exercice à la
caserne mais elle s'en moquait, s'était rhabillée en
hâte non sans avoir réclamé son « petit cadeau ».

La pluie toujours. Éternelle. Et ces ruelles qui sen-

taient la mort. Décidément, il lui fallait une femme.
En cette saison où les clients étaient rares, l'hôtel travaillait à personnel réduit. Dans le hall, le portier était seul.
La cinquantaine. Derrière son comptoir, il lisait un journal sportif à feuillets roses.

— Peut-on avoir — pour l'après-midi — une fille jeune
et pas trop moche?

— Irez-vous la retrouver chez elle, monsieur, ou doit-
elle vous rejoindre dans votre chambre?

— Je préfère ma chambre.

— En principe, dit l'homme, l'œil finaud, c'est interdit.

— Hé bien, arrangez-moi ça.

Il lui remit un billet de dix mille lires. En baissant la
voix, le portier dit alors :

— Je vais voir, monsieur.

— Qu'elle soit là dans une heure.

— Je vais voir.

Ces « je vais voir » exaspérèrent André.

— Si vous avez une bonne vue, vous recevrez un autre
billet comme celui-ci.

— Je vais... Comptez sur moi, monsieur. Je m'en
occupe tout de suite.

Au passage, avant de s'enfermer dans l'ascenseur,
André rafla sur une table, au milieu du hall, quelques magazines français et italiens.

Dans la chambre, il retira son manteau, veste et
cravate, commanda du café au garçon d'étage, insista
pour qu'on le lui servît très chaud. Le garçon entra
alors qu'André se trouvait dans la salle de bains et

posa le plateau sur un guéridon. Pour ne plus voir ce ciel cafardeux, André le pria de fermer la fenêtre et d'allumer toutes les lampes. Le café lui fit du bien. Cigarette aux lèvres, il s'allongea sur le lit sans même retirer ses chaussures. Sa mauvaise humeur revenait. Donc, le matin, Hélène n'avait pas téléphoné. D'abord, il avait attendu dans la certitude qu'elle appellerait. Puis il s'était renseigné auprès de la standardiste. Non, personne ne l'avait demandé. Démarche idiote. La rancœur, le dépit lui faisaient perdre tout bon sens. A la fin, il s'était décidé à sortir pour la relancer chez elle. Trop tard! Et lui revenait — horripilant — le souvenir de cette initiative où il avait, à ses propres yeux, perdu la face. Il avait voulu ce petit test : qu'Hélène l'appelât, c'est-à-dire qu'elle obéît, confirmât son retour à l'ancienne docilité. Raté! Certes, le gamin avait parlé d'une compagne malade. Admettons, admettons... Dehors, le vent. Tout l'espace semblait traversé de grands vols d'oiseaux gémissants. André essaya de lire l'un des magazines. « Hold-up de " Prima Linea ", à Milan : un mort. » Mais son esprit dérapait, n'avait plus d'unité, lui semblait creux comme une maison dont il ne subsisterait que les murs.

Peu après, le portier l'appela. D'une voix complice, discrètement jubilante, il l'informait que la personne qu'il attendait était là, dans le hall.

— Parfait. Mettez la dans l'ascenseur.

Ensuite, il se leva d'un bond, avide de connaître cette femme qui, d'une certaine manière, paierait pour Hélène.

Elle devait avoir la trentaine, souriait bravement de ses lèvres fardées de carmin. Pas laide du tout. Une brune. Le corps de bonne proportion.

— Bonjour, dit-elle avec coquetterie.

Il la pria d'entrer et, derrière elle, accrocha au loquet extérieur l'écriteau « *Non disturbare* », referma soigneusement la porte au verrou. Elle le regarda faire, vaguement amusée. André l'aida à retirer son manteau de fourrure, et elle apparut en robe bleue, ornée d'un clip doré, qui moulait ses hanches fortes, sa poitrine. Il vit qu'elle avait les sourcils rasés, remplacés par deux arcs au crayon.

— Voulez-vous quelque chose de fort pour vous réchauffer?

— Merci mais, si cela ne vous fait rien, je préfère ne pas boire. L'alcool me brouille l'estomac. D'ailleurs, je n'ai pas froid.

Elle voulait aussi montrer qu'elle n'était pas une prostituée de bas étage, qu'elle avait des manières et, assise dans l'unique fauteuil, les jambes croisées, allumait une cigarette avec distinction, en rejetait, tête renversée, la fumée vers le plafond.

— Comment dois-je vous appeler?

— Teresa.

Elle arrangeait ses cheveux courts, très noirs, les tapotait du bout de ses doigts aux ongles peints. Une fille soignée. Mais, comme toujours, André se sentait embarrassé en face d'une professionnelle, et vaguement hostile. Non sans brusquerie, il lui demanda :

— Tu es d'ici?

Le tutoiement ne la surprit pas et peut être s'attendait-elle à ce genre de préliminaires.

— Non. D'en face.

— Je ne comprends pas.

— De Fiume. De Rijeka, si tu veux. Mais Rijeka est à présent le nom yougoslave.

Elle l'observait de ses larges yeux aux paupières ombrées, cherchait à conformer son attitude à celle de ce client qui, lui aussi, fumait, pas pressé. Et après tout, un dimanche... Quelque homme d'affaires étranger. Français, à son accent. Peut-être Suisse. Beaucoup de Suisses, l'hiver, à Venise. Lui, de son côté, devinait qu'elle le jugeait ou, mieux dit, qu'elle le « jaugeait », prête à lui obéir, à se montrer complaisante pour le contenter, justifier une généreuse récompense. Il proposa :

— Veux-tu que nous commencions?

— Bien sûr, dit-elle, bonne fille.

Elle écrasa sa cigarette dans le cendrier, retira ses souliers, ses bas, se leva pour se diriger, pieds nus et la croupe ondulante, vers la salle de bains. Il l'arrêta au passage.

— Attends, dit-il. Je vais moi-même te déshabiller.

— Comme tu voudras.

Subitement lui était venu le désir de recommencer, avec elle, ce rite qu'il pratiquait avec Hélène, et qui lui procurait toujours une subtile excitation. Teresa se retourna pour le laisser s'escrimer dans son dos sur la fermeture Éclair. La robe s'ouvrit comme l'enveloppe d'un fruit pulpeux. Il vit la chair blanche, la peau au grain très fin, très délicat, l'attache du soutien-gorge. Mais Hélène, elle, se laissait faire avec une indifférence réelle, qui lui plaisait, alors que celle-ci se tortillait, minaudait : « Mais tu fais ça très bien, mon chéri. Quel doigté! » Il détestait qu'on l'appelât « mon chéri ». Agilement, il la dépouilla jusqu'à ce qu'elle apparût en slip, les seins lourds, le ventre dodu. Il vit qu'elle avait les aisselles épilées. Le slip, il la laissa le retirer elle-même, pour savourer, par un léger recul, la découverte de sa toison. Elle opéra adroitement, très à son aise dans sa nudité. Non sans coquetterie, elle demanda :

— Tu ne m'embrasses pas?

Il n'en avait aucune envie. Il n'aimait pas embrasser. Et cette proposition, d'ailleurs, sentait son procédé. Vieille astuce de professionnelle. Il lui posa ses lèvres sur le cou et elle mima l'extase, en souriant, la tête en arrière, les yeux fermés. Cette idiote allait-elle lui sortir tout son répertoire? Mais, déjà, doucement, elle se dégageait comme pour modérer une impatience qu'en fait il ne manifestait pas.

— Attends, mon chéri. Tu permets?

Elle entra dans la salle de bains et il écouta les bruits d'eau avec un vague dégoût. Penser que, pour cet après-midi, il avait eu l'espoir, sinon la quasi-certitude, de coucher avec Hélène! De retrouver son corps d'adolescente, sa froideur, son expression d'ennui à l'instant de se mettre au lit! Et celle-ci qui se préparait à lui faire son « cinéma », avec les trucs les plus usés, délire, ardeur, égarement des sens...

Elle revint, rose dans la lumière électrique, parut surprise de le trouver encore vêtu.

— A mon tour, dit-il.

Et il entra dans la salle de bains pendant qu'elle éteignait dans la chambre, laissant seulement allumée une lampe de chevet.

Souvent lorsque André procédait à sa toilette, un

souvenir lui revenait. A treize ans, dans la belle maison de campagne où chaque année il passait l'été en famille, son plus vif plaisir consistait à surprendre une des domestiques de sa mère, une femme d'une quarantaine d'années, lorsque, dans sa chambre, le soir, elle procédait nue à ses ablutions. Par une imposte, il pouvait l'observer à loisir, jusqu'au jour où, par hasard, ayant levé les yeux, elle l'avait découvert.

Elle avait paru surprise mais pas du tout mécontente ou incommodée et, par la suite, sachant sa présence, elle s'était montrée à lui dans sa nudité avec la plus naturelle indifférence. Et ces rendez-vous s'étaient poursuivis longtemps, cette saison-là, sans que jamais elle y fît allusion. Lorsqu'ils se rencontraient dans la journée, elle gardait l'attitude la plus simple, la plus habituelle, sans le moindre regard de connivence ou quelque signe de complicité. Elle avait des fesses rebondies, des seins épais aux aréoles très brunes. L'eau de la douche crépitait sur ce corps d'une blancheur laiteuse, le laissant tout emperlé. La femme l'essuyait d'une serviette qu'elle mettait ensuite à sécher dans la grange, et qu'André allait plus tard toucher, caresser. Il lui arrivait même d'y enfoncer le visage.

Lorsqu'il retourna dans la chambre, la fille l'attendait au milieu du lit, le drap retourné jusqu'au menton, les couvertures empilées sur le fauteuil. La lumière mettait des brillances dans sa chevelure. Elle lui sourit de façon prometteuse.

— Mon chéri, lui dit-elle dans un roucoulement qui se voulait voluptueux et qui l'irrita.

Déjà elle s'écartait, lui faisait place et, après s'être allongé près d'elle, il éteignit la lampe de chevet. Il préférait cette pénombre dans laquelle ce corps pouvait en suggérer un autre, le seul qu'il désirât vraiment. Peut-être devina-t-elle d'instinct cet éloignement car elle se tourna, se pressa contre lui, en murmurant « viens, viens, viens » d'une voix rauque, en un appel de femme ouverte au désir. Et d'abord il la laissa faire, la laissa refermer les jambes sur ses reins, un bras autour de son cou, la bouche cherchant la sienne. En lui, quelque chose se hérissait qui avait des épines, des griffes. Il n'aimait pas qu'une femme prît l'initiative. Hélène restait toujours inerte. Hélène qui s'était dérobée. Il redressa le buste, frappa durement du poing, au hasard. Atteignit la femme à l'arrondi de l'épaule, en sentit la dureté mais, dans la seconde même et avec une surprenante énergie, elle l'écarta, le repoussa. Une seconde après, elle glissait dans la ruelle, se relevait, son corps formant une haute tache blanche dans la nuit de la chambre. Seul, son souffle rapide révélait son émotion.

— Qu'est-ce qui te prend? dit-elle enfin d'une voix criarde.

Il ne répondit pas, de nouveau sur le dos, le regard au plafond, à l'écoute d'une vague qui s'affalait en lui.

— Toi alors! dit-elle encore.

Et d'un pas décidé, elle se retira dans la salle de bains. Tout cela grotesque, mais il était décidé à aller jusqu'au terme de cette dérision.

Elle ressortit à contre-jour — la lumière de la salle de bains derrière elle — et, le buste nu, une serviette autour des reins, l'observa sans bouger, guettant ses réactions.

— Si tu recommences, dit elle d'un ton altéré, mais s'arrêta.

André venait d'allumer la lampe de chevet. Il vit son visage craintif, ses yeux assombris et en éprouva une satisfaction bizarre.

— Calme-toi donc, dit-il.

Sans le lâcher des yeux, la serviette toujours serrée autour de la taille, les seins libres, elle s'assit dans le fauteuil, alluma nerveusement une cigarette. Elle était toujours sur ses gardes, enlaidie par la peur, prête à crier, à ameuter les gens de l'hôtel au moindre geste suspect. André comprit qu'aucune parole à présent ne pourrait lui redonner confiance et, à son tour, assis sur le lit, prit une cigarette.

— Je ferais mieux de m'en aller, dit-elle. Tu es un drôle de type.

Elle devait réellement le prendre pour un maniaque sexuel, un de ces détraqués qui aiment à tourmenter les femmes.

— Comme tu voudras, dit André.

— Mais tu me paieras!

— Certainement.

Elle commença à se rhabiller. Ses gestes étaient rapides et précis, et lorsqu'elle fut prête — il ne lui restait que son manteau à passer —, elle demanda :

— Qu'est-ce qui t'a pris? Ça t'arrive souvent?

— C'est la première fois, dit-il, non en manière d'excuse mais pour exprimer objectivement la vérité.

Ce bref échange parut alléger la tension qui les séparait.

— Tu as des ennuis? dit-elle après un temps.

— Si on veut.

— A cause d'une femme?

Il la regarda, intéressé par sa perspicacité, mais peu désireux de se confier à une fille comme elle. De son bras tendu, il lui montra l'endroit où se trouvait sa veste. Elle la lui jeta et, pendant qu'il y cherchait son portefeuille, se recoiffa devant la glace de l'armoire, sans cesser de l'épier. André la voyait aussi et, dans la glace, leurs regards se croisèrent. Il lui tendit ensuite des billets. Elle les compta, le front plissé, parut estimer la somme suffisante et, le manteau sur le bras, tira le verrou et sortit sans un mot.

André entendit son pas s'éloigner dans le couloir en direction de l'ascenseur. Allongé sur le lit, les mains sous la nuque, il se sentit en marge de sa propre vie, persuadé que, s'il ne parvenait pas à convaincre Hélène, son existence en resterait incomplète, inachevée.

Alertée le dimanche soir, à son retour de Mestre, par Mario qui avait oublié sa promesse à André, Hélène s'affola. Elle dîna chez Marthe et Carlo, leur parla seulement d'Anna-Maria, ne leur dit rien au sujet d'André et demanda à passer la nuit chez eux, prétextant la fatigue de l'après-midi. Dans la chambre elle retrouva, en face du lit, le tableau qui l'incommodait un peu, avec l'homme au masque et son signe de mystère.

Au réveil, elle admit qu'elle ne pourrait longtemps pratiquer avec André ce jeu dérisoire de cache-cache, qu'elle devait l'affronter de nouveau pour un entretien définitif.

En ce lundi matin, un matin parcouru par un tendre soleil de janvier, elle partit pour la poste, s'enferma

dans une cabine et appela l'hôtel. On la fit attendre.
La cabine sentait la colle et le tabac froid. Elle resta
là, le regard sur la cloison de bois verni, incrusté d'ins
criptions et de dessins obscènes dont un phallus qui
ressemblait à un naja, avec ses yeux au regard hypno
tique peints sur la collerette déployée.

— Ah c'est toi? s'exclama André d'une voix enjouée
qui se répandit dans sa tête comme une eau bouillante.

— J'avais bien trouvé ton message, dit elle, mais je
devais me rendre à Mestre...

Il ne fit pas l'objection à laquelle, en bonne logique,
elle s'attendait : qu'elle aurait pu l'appeler précisément
avant de partir pour Mestre.

— Je comprends, poursuivit il du même ton dégagé.
Mais nous pouvons déjeuner ensemble. Rejoins moi
donc dans le restaurant de mon hôtel. Il est convenable
et on peut y déjeuner à partir de midi et demi.

Elle refusa en rappelant qu'à deux heures elle avait
sa séance quotidienne chez Mme Poli, plus haut que
l'église des Jésuites, rue Sainte Catherine : c'est à dire
fort loin. Comme il restait silencieux, il lui sembla qu'à
l'autre bout du fil se tenait une créature qui se gonflait
de colère et, machinalement, elle regarda, sur la fermeture de la cabine, sa propre main, si fortement serrée
que les doigts en étaient blanchis aux jointures.

— Bon, dit-il à la fin. Dans ce cas, je compte sur toi
ce soir, même endroit. Disons : sept heures?

Voix calme, compréhensive. Hélène pensa qu'elle
devait peut-être ce changement de ton à quelque contri-
tion d'André après la scène du café.

— Entendu, dit-elle. Sept heures.

— Te voilà redevenue raisonnable, ma chère.

Elle ne répondit pas, tant elle avait soudain l'impression de manquer d'air, d'étouffer dans cette cabine. Ses tempes battaient vite. Elle raccrocha la première.

6

Mme Poli tint à confier au jugement d'Hélène un projet qui lui était venu et qui éloignait tout intérêt pour la vie privée de sa lectrice. Elle était guérie, encore un peu dolente, et avait réintégré son salon, trônait de nouveau parmi ses livres, ses bibelots et ses plantes vertes.

— Je sais, lui dit-elle, que je vais disparaître avant mon mari. Et je ne tiens pas à ce qu'il se réjouisse trop quand ma mort lui laissera le champ libre pour ses turpitudes. Vous me suivez ?

— Certainement, madame.

— J'ai l'impression que vous pensez à autre chose.

— Ce n'est qu'une impression, madame.

— Pouvez-vous oublier un moment vos petites démangeaisons plus ou moins sentimentales ?

— C'est ce que je fais, madame.

— Soit.

Elle retira ses lunettes, se tortilla un peu sur son divan, ses jambes enflées, en bas noirs, dépassant la robe de chambre.

— Je m'en vais dicter mes souvenirs au magnétophone. J'engagerai quelqu'un pour les transcrire à la machine. Vous voyez ce que je veux dire ?

— Non, madame.

— Sotte que vous êtes! Mais, ensuite, je les publierai!

Avec ses petits yeux enfoncés dans les grasses joues roses, elle paraissait épier Hélène à travers les trous d'un masque. Hélène y découvrait la même intensité furibonde que dans les yeux d'André.

— Je ne suis pas idiote. Je sais qu'aucun éditeur n'en voudra. Mais j'ai déjà téléphoné à un imprimeur. Il accepte de se charger de ce travail dont j'assumerai tous les frais. Mille exemplaires suffiront. Qu'en dites-vous?

— Je pense que c'est très faisable, dit prudemment Hélène, convaincue que l'on prenait son avis pour la forme.

— Bien sûr que c'est faisable! Avec de l'argent, tout est possible! C'est bien connu! Mais l'intérêt de l'affaire n'est pas de raconter tout bêtement ma vie, encore qu'elle ait été fort bien remplie. Il faut que l'on sache tout ce que j'ai enduré avec cet individu que, par malheur, j'ai eu pour époux! Il faut que l'on sache comment j'ai été humiliée, bafouée, exploitée tout au long de ces années par un homme abrité derrière des lois monstrueuses qui font de nous des ilotes!

— Cela n'entraînera-t-il pas certains risques? demanda Hélène.

— Je les assumerai tous! Je dispose d'un avocat rusé comme un renard!

Elle s'animait de plus en plus, chacun de ses gestes faisait tinter ses bracelets en une sorte d'accompagnement belliqueux.

— Ce n'est pas tout, et c'est ici que vous êtes concernée. Nous avons, mon mari et moi, de nombreux amis à Paris. J'aimerais tirer de mon livre une version française. Cinq cents exemplaires, peut-être. Acceptez-vous de vous charger de la traduction? Ne répondez pas tout de suite. Réfléchissez d'abord. De toute manière, vous serez bien payée. Je tiens à ce que mes amis français sachent la vérité sur une existence sacrifiée! Bien entendu, des exemplaires de luxe iront à de hautes personnalités. Au pape, par exemple.

— Pourquoi au pape, madame?

— Ah linotte, chère linotte! Je veux que Sa Sainteté — bien que je sois mécréante — sache qu'un richissime catholique, confit en dévotion — il se signe encore en passant devant une église, vous imaginez? —, représente en vérité un être abominable, un fourbe, ce qu'en France vous appelez un tartuffe!

Elle s'agitait de plus belle, ses grasses petites mains volaient devant elle, semblaient dévider une haine sur laquelle, farouchement, elle ordonnait toute la fin de sa vie.

— Attention! J'ai tout prévu! Avec ma fichue maladie il se peut que la mort me prenne avant que mon livre ait vu le jour. J'ai déjà pris langue avec mon notaire. Par disposition testamentaire, les volumes, en version italienne ou française, seront distribués d'après une liste de personnes que je suis déjà en train d'établir. Et si je meurs, je laisserai derrière moi cette bombe tout amorcée.

Après avoir quitté Mme Poli, Hélène ne se dirigea pas tout de suite vers la maison de Sardi. Elle disposait d'assez de temps pour vagabonder un peu à travers les rues comme elle aimait à le faire. Cela lui rappelait également ses sorties en compagnie de Lassner. De toute manière, après chaque séance chez Mme Poli et la tension nerveuse qui en résultait, elle appréciait ce répit.

Déjà, le crépuscule descendait sur la ville, obscurcissait les canaux, leur donnait une immobilité et une profondeur lugubres. En fait, tout lui paraissait attristé par la présence d'André. Que serait la rencontre du soir? Elle se méfiait du ton conciliant qu'il avait pris, le matin, au téléphone. D'un pas de promenade, elle rejoignit une rue commerçante, s'arrêta devant les magasins illuminés. Ses chaussures usées protégeaient mal ses pieds du froid. Il était temps de les remplacer, mais elle en était toujours réduite à compter et à ména ger ses maigres finances. Une devanture la retint. On y exposait des slips, des soutiens-gorge, de fines chemises. Non sans plaisir, elle se rappela que Lassner était très sensible à la lingerie féminine. Les mannequins de bois, sans fesses, la gorge plate, chauves comme des champignons, mais vêtus de charmants déshabillés, la regardaient avec langueur. Elle se promit de revenir dès qu'elle serait davantage en fonds, et comprit mieux que tout son esprit s'organisait autour de Lassner, que Lassner gouvernait toutes ses pensées et l'aidait à retrouver son unité. Restait André. Une impatience la saisit alors de le revoir pour en finir avec lui.

7

L'obscurité étranglait toutes les lumières, étouffait tous les bruits. Jusqu'aux tintements des cloches qui semblaient moins aériens, amortis par cette épaisseur nocturne. A son appel, chez Sardi, le judas glissa, comme d'habitude, avec un petit grincement mais, surprise! l'œil qui longuement l'observa n'était pas celui du portier. On lui ouvrit. L'homme qui se tenait devant elle, en imperméable et chapeau de pluie, ne lui dit pas un mot. Il semblait bel et bien l'attendre.

Elle vit que les deux allées qui contournaient la maison et conduisaient au jardin étaient éclairées par de fortes lampes. Où donc étaient passés le portier et son chien? A l'intérieur, l'éclairage, là aussi, était plus violent qu'à l'accoutumée. En plus des torchères, les deux lustres étaient allumés, et leur lumière crue rebondissait sur les balustres d'onyx. Un autre homme se tenait au sommet de l'escalier, en raglan beige, coiffé d'un borsalino, les mains dans les poches, les jambes écartées. Tout cela si étrange qu'Hélène regarda son compagnon pour l'interroger.

— Montez donc, dit-il, avant même qu'elle eût parlé.

L'homme au borsalino la salua brièvement et la

193

pria de le suivre. Tout le bâtiment paraissait déserté, sans aucun de ces passages furtifs de serviteurs au fond des couloirs.

— Il n'est rien arrivé de fâcheux à M. Sardi? demanda-t-elle.

— Vous allez le voir.

Sardi n'était pas seul. Dans le bureau où il l'accueillait d'ordinaire se trouvait assis un personnage important, large de visage et de buste, les bajoues rabattues sur le col de sa chemise, le nez massif foré de vers. Son gros ventre reposait sur des cuisses épaisses qui tendaient l'étoffe du pantalon.

Sardi la salua avec une expression maussade et lui présenta le commissaire Rastelli. Pesamment, le commissaire Rastelli se mit sur pied, s'inclina devant Hélène en débitant une formule de politesse, mais d'un ton si bas qu'elle n'en retint pas un mot. Il se cala de nouveau dans son fauteuil, la regarda de bas en haut, en soufflant comme si, après une longue plongée, il venait à peine de sortir de l'eau.

— Mademoiselle Morel, dit il de la même voix étouffée, cela fait une paire d'heures, des inconnus ont tenté de s'introduire dans cette maison. Il ne faisait pas tout à fait nuit. Nous avons entrepris d'interroger tout le personnel. Pardonnez moi, mais vous aussi vous le serez. Je vous prie donc de rester à notre disposition.

— Vous pouvez attendre à côté, dans la bibliothèque, dit Sardi, sans amabilité réelle.

Elle remarqua qu'il était aussi pâle que d'habitude mais avec des cernes de fatigue sous les yeux.

S'il s'agissait de voleurs, Hélène pensa qu'ils avaient curieusement choisi leur moment, un moment où toute la domesticité était sur pied et répandue à travers tout l'édifice.

Dans la bibliothèque, les lampes faisaient briller les dorures des beaux ouvrages sur les rayons. Tout semblait calme. Par la fenêtre on distinguait le sommet de quelques arbres du jardin. A droite, une brèche dans ces feuillages ouvrait sur des feux alignés au ras de l'eau. Hélène s'installa dans un fauteuil, un livre à la main, l'abandonna une minute après, trop intriguée par l'événement pour en détourner son esprit. Elle entendait parler dans la pièce qu'elle venait de quitter. Une voix de femme et — toujours basse, un peu hachée — celle du commissaire Rastelli. Mais pourquoi la faire attendre, elle? Le rendez-vous avec André était, certes, dans un peu plus d'une heure, mais le temps filait... Et, somme toute, qu'avait-elle à dire à propos de cette affaire de cambriolage manqué? Ne pouvait-on, aussi bien, la questionner tout de suite et la libérer? Elle se mit à consulter des livres au hasard. Aucun ne la retenait. Il y avait là, cependant, des éditions précieuses et même quelques érotiques du dix-huitième siècle dont les gravures ne manquaient ni de grâce ni de piquant.

A côté, l'interrogatoire continuait, lent, pesant, la voix essoufflée du policier alternant avec celle, monocorde, de la femme. En bas, dans le jardin, on distinguait peu de chose, mais l'éclat des lampes, sur les côtés du bâtiment, se répandait loin en un poudroiement lumineux qui suffisait à révéler des statues mangées de mousse et, tout au bout de l'allée centrale, la porte qui donnait sur le canal. Jamais elle n'avait eu l'occasion d'observer à loisir cet endroit puisqu'elle entrait dans la maison par la ruelle. Il s'agissait d'un espace relativement réduit mais avec des massifs très feuillus qu'avaient dû peut-être utiliser les malfaiteurs pour progresser vers le perron. Et sans doute, le chien avait-il donné l'alerte...

Passé six heures, elle sortit sur le palier, avisa l'inspecteur au raglan accoudé à la balustrade au-dessus de l'escalier. Nonchalamment, il vint à elle, lui demanda ce qu'elle voulait.

— Téléphoner. J'ai un rendez-vous. Je voudrais prévenir que je serai retardée.

— Ils ont coupé le téléphone, mademoiselle.

— Mais que s'est-il donc passé?

— Vous le saurez. Rentrez, à présent.

Tout cela si absurde qu'elle en demeura quelques secondes abasourdie.

La fenêtre, de nouveau. Le moteur d'une péniche qu'elle ne voyait pas tacotait quelque part dans l'obscurité le long du canal, rythmait les chocs de son propre cœur. Elle se dit qu'elle allait passer chez Sardi, demander à sortir. Pourquoi le lui refuserait-on? Après tout, elle n'était pas prisonnière! La conviction de sa bonne foi, le sentiment qu'on abusait de sa patience l'incitaient à cette démarche, mêlés à la crainte de rejoindre un André irrité par son retard. Pour un entretien aussi décisif, elle avait intérêt à ce qu'il l'écoutât aussi calmement que possible. Elle s'approcha de la porte. On interrogeait une autre femme. Il suffisait de suivre le dialogue, d'intervenir à la fin, de prier qu'on la laissât s'absenter quelques minutes. Les voix lui parvenaient mal. Elle se lassa, retourna, désœuvrée et anxieuse, vers les rayons de livres.

Peu après, elle entendit des pas sur le palier, des pas qui se dirigeaient vers la bibliothèque. On fit entrer un individu à la carrure puissante qu'elle reconnut aussitôt : le portier! Il lui parut malheureux, accablé.

— Bonsoir, mademoiselle, dit-il d'un ton morne.

— Je suis contente de vous voir, dit Hélène. Peut-être allez-vous, enfin, m'expliquer ce qui se passe?

— Ils ont tué mon chien.

— Mais qui?

— Est-ce que je sais? Des gens qui sont entrés par le jardin.

— Comment y sont-ils parvenus, presque en plein jour? Et dans une maison surveillée comme celle-ci?

Sans répondre, il se dirigea vers la fenêtre, regarda au-dehors, son dos massif couvrant une partie des vitres.

— Votre chien, dit-elle après un silence, on l'a empoisonné?

— Il n'acceptait de nourriture que de ma main. Les autres le savaient. Ils étaient bien renseignés.

Les yeux baissés, il revint au centre de la pièce, plein de rancœur.

— Ils lui ont jeté une petite bombe à gaz toxique qui lui a brûlé les yeux, la bouche, les poumons... A ce qu'on dit, il s'agirait d'un gaz de guerre qu'on fabrique dans une usine à Marghera.

Stupéfaite, Hélène se tenait près de lui, sans plus songer à sa démarche auprès de Rastelli.

— Pauvre bête, murmura le portier.

— Où est-elle? Je veux dire : le corps?

Il se méprit sur le sens de la question :

— Vous voudriez le voir? Vaut mieux pas. Ce n'est

pas beau, mademoiselle. Et puis, la police l'a peut-être déjà emporté.

— Où l'a-t-on retrouvé?

— Au fond du jardin, près du mur mitoyen. Ils sont venus par là.

— C'est la première fois qu'on essaie de pénétrer ici?

— Oui, la première fois. M. Sardi, le père, est industriel à Turin. Il est souvent menacé. Il a craint pour son fils et nous l'a confié. Et vous voyez...

— Vous pensez, dit Hélène, qu'on a voulu le tuer?

— L'enlever plutôt. Pour une rançon, bien sûr.

Et, toujours obsédé par son chien, d'ajouter à mi-voix :

— C'était une bête magnifique...

Hélène s'assit sur le divan, s'efforça de mettre quelque logique dans cet enchaînement de faits et de sensations. Jusqu'à son arrivée à Venise, tout ce qu'elle avait appris par la presse ou la radio sur les attentats et les enlèvements en Italie gardait quelque chose d'un peu abstrait, qui sollicitait son imagination, certes, mais sans l'imprégner en profondeur. Or, comme dans le cas de Scabia, cette intrusion lui prouvait — immédiatement — une force, une volonté d'action impitoyables. La photo du tueur de Milan, prise par Lassner, s'imposa en elle jusqu'au malaise.

— Comment se fait-il, demanda-t-elle encore, que ces hommes, après avoir tué le chien, n'aient pas continué jusqu'ici?

— Nous avons un système d'alarme. Comme ils n'ont pas pu le neutraliser, ils y ont renoncé.

— On les a vus?

— Aperçus, seulement. Il faisait déjà sombre.

— Par où sont-ils venus? Par le canal?

— Non. La maison voisine. Il y a des traces.

Dans le bureau, à côté, on discourait toujours. Elle regarda sa montre : presque sept heures, se leva. Le drame du jeune Sardi, menacé, obligé de se cacher, de se protéger, l'horrifiait sans recouvrir sa propre inquiétude. Étrange, ce partage de son esprit. Se résigner était, à la réflexion, un parti convenable. Au sujet d'André, elle verrait bien... Toutefois, elle savait qu'un homme, si son orgueil est en cause, peut aller à l'extrémité de lui-même, fût-ce au-delà de la raison.

Brusquement, après un bruit sonore de pas sur le palier, elle entendit à côté des exclamations, des gémissements de femme éplorée. Le portier se rapprocha d'Hélène :

— Les parents, murmura-t-il. On a eu du mal à les joindre. Finalement, ils étaient à Vérone.

Tout cela, pensa Hélène, pouvait durer encore des heures.

8

— Avez-vous des relations à Padoue?

Surprise par cette première question, elle fit non de la tête. On l'avait enfin convoquée, et elle se trouvait seule, assise en face de l'énorme commissaire qui, de temps à autre, essuyait son front, ses bajoues, vernis de sueur. Le portier était resté dans la bibliothèque et le jeune Sardi, sans doute, avait suivi ses parents dans quelque autre pièce.

— Et à Milan?

— Non plus.

— Et, voyons, ici à Venise, personne ne vous a interrogée au sujet de cette maison?

— Personne.

— Je veux dire, par exemple, sur ses dispositions intérieures, les habitudes de ceux qui l'habitent?

— Jamais. D'ailleurs, j'ignore tout, moi-même, de ces dispositions et de ces habitudes.

— Vous en êtes sûre?

— Sûre.

— Réfléchissez.

Cette insistance l'étonna.

— M. Sardi a dû vous dire, je suppose, que, dès mon arrivée, on me conduisait tout de suite auprès de lui. Je ne parlais qu'au portier.

— Bien.

En soufflant, les bajoues tremblotantes, le commissaire se leva, tira la porte de la bibliothèque, appela le portier qui entra à petits pas précautionneux comme si le sol était miné.

Le commissaire le laissa debout, tandis qu'avec effort il reprenait sa place derrière le bureau, calait son large derrière dans le fauteuil.

— Tu as reçu plusieurs fois mademoiselle, n'est ce pas? Est ce qu'elle te posait des questions?

— Non. Une ou deux fois seulement nous avons parlé de mon chien.

— Et tu n'as jamais rien remarqué d'anormal?

— Non, monsieur le commissaire.

Celui ci parut s'impatienter, fit claquer ses grosses lèvres :

— Pourtant, tout à l'heure, tu as rapporté à l'inspecteur Ambrosio quelque chose d'intéressant. Allons, souviens-toi!

Ton rude. Le front plissé, le portier se balança légèrement d'une jambe sur l'autre.

— Ah oui, monsieur le commissaire. Un soir, un homme attendait mademoiselle dans la rue. Je l'ai observé par le judas. Un homme grand, jeune. Il portait une canadienne.

Rastelli, le buste en avant, les mains sur le bureau, ses gros yeux poilus braqués sur Hélène lui demanda :

— Qui était cet individu, mademoiselle?

— Un ami. Je devais dîner avec lui.

— Vous pouvez donc me dire son nom?

Elle donna le nom de Lassner. Ce nom n'évoqua rien pour le commissaire qui poursuivit :

— Où se trouve t il en ce moment?

— Au Liban. Il est reporter photographe et travaille pour une agence de Milan.

— Vous m'avez dit n'avoir aucune relation à Milan.

Tout cela devenait trop idiot. Hélène répondit avec une pointe de nervosité :

— C'est ici qu'il habite et c'est seulement ici que je le vois.

— Quand rentrera t-il?

— Dans trois ou quatre jours.

— Le nom et l'adresse de cette agence, je vous prie.

Hélène donna l'indication et ajouta le nom d'Ercole Fiore.

— Nous vérifierons.

— C'est tout?

— Pour moi, oui. Mais M. Sardi désire lui aussi vous parler.

Il la reconduisit jusqu'au seuil, lui montra la pièce, de l'autre côté du palier, où on l'attendait, puis revint vers le portier en grognant :

— Toi, bougre d'abruti...

Elle n'entendit pas la suite. Sa montre marquait plus de huit heures. Accoudé à la balustrade, l'inspecteur en raglan, toujours de faction, lui jeta un regard ennuyé.

La pièce où Sardi la reçut, élégamment meublée, était toute tendue de jaune. Une magnifique horloge au balancier doré battait dans le fond. Sardi lui dit en la faisant asseoir :

— On vous a gardée longtemps.

L'arrivée de ses parents l'avait sans doute remonté, car son regard était plus vif.

— Je suis désolée à votre sujet, dit Hélène.

— Merci.

Il était resté debout devant elle, un peu embarrassé, le teint toujours aussi blafard.

— Les individus qui ont tenté de s'introduire ici étaient très bien renseignés, et la police soupçonne une complicité à l'intérieur. C'est le portier qui a attiré l'attention sur votre cas.

— Je comprends.

— J'espère que le commissaire a été correct.

— Pour le peu qu'il avait à me demander, il aurait pu ne pas me faire attendre d'une façon aussi abusive. J'avais un rendez-vous et je l'ai manqué.

— Il a voulu reprendre personnellement chaque interrogatoire. Croyez que je suis navré.

Il le paraissait vraiment et la pomme d'Adam s'agitait sur son cou de poulet.

— Mes parents sont arrivés, dit-il après un court silence. Ils en ont assez de me voir vivre confiné dans cette vieille maison. Et moi donc! Nous venons tout juste d'en parler ensemble. Plus que jamais, ils craignent pour moi, après ce qui s'est passé aujourd'hui.

Il releva sa tête aux joues sans pulpe :

— Savez-vous combien il y a eu d'attentats, l'année dernière, dans la seule région vénitienne? Soixante-cinq! Bien sûr, c'est moins qu'à Rome où l'on en compte six fois plus pour la même période. Ou qu'à Milan, ou Gênes... De toute manière, je n'ai aucune envie d'alimenter les statistiques.

— Vous avez raison, dit Hélène qui devinait où il voulait en venir.

— Mon père veut donc me faire partir pour un pays

où je n'aurai plus besoin de gardes du corps et de dispositifs d'alarme.

— Où vous pourrez aussi sortir, fréquenter des jeunes filles...

La malice du propos, qui rappelait ses tentatives auprès d'Hélène, lui mit un peu de sang aux pommettes.

— Notez, dit-il, que je préférerais être plutôt chasseur que gibier.

— Que voulez-vous dire?

— Que je serais, je crois, à mon aise dans quelque groupe activiste, non par idéologie, comprenez bien, mais pour...

Les lèvres serrées, il appuya ses poings l'un contre l'autre. Goût de contraindre, de dominer. Encore un, pensa Hélène, qui prendra peut-être plaisir à faire souffrir une femme.

— Vous parlez sérieusement? dit-elle.

— Mais oui. J'ai d'anciens camarades qui militent chez les fascistes ou chez les autres.

— Voulez-vous dire : qui assassinent des gens ou qui font exploser des bombes dans les lieux publics?

— C'est plus ou moins ça. Plus ou moins. Il y a également les auxiliaires... Cela vous fait peur, n'est-ce pas?

— Cela me répugne!

Il eut l'air satisfait de son émoi.

— Oui, le sang fait peur. C'est humain, dit-il d'un ton rêveur, la bouche déformée par un léger rictus.

Comme elle s'était levée, il se dirigea vers un secrétaire, en ouvrit un tiroir.

— Je vous retiens, moi aussi, de façon abusive. Mais c'est que nous allons nous séparer.

— Je l'ai bien compris.

— Je tiens à vous remercier. Vous avez été très chic avec moi. Mon père m'a chargé de vous remettre ce chèque. C'est le compte exact de vos dernières leçons.

— Merci.

— Il aurait pu allonger la somme mais il est comme ça : pour lui, une lire c'est une lire.

— C'est très bien ainsi, dit Hélène.

Dehors, la pluie. On devinait dans l'espace l'amoncellement des nuages. A l'instant où Hélène tourna le coin de la rue, un éclair fouetta le ciel, le frappa avec une rapidité de cobra. Peu probable qu'André l'eût attendue. Elle allait tout de même téléphoner. Une rancune la tenait contre le policier-pachyderme à qui, d'une certaine manière, elle devrait les reproches dont elle serait accablée. Elle se rappela comment, tout enfant, lorsque ses parents se disputaient, elle courait s'enfermer dans sa chambre, sous le toit. Dans l'obscurité, elle attendait que tout s'apaisât, que le monde retournât au calme, à la paix, que la vie redevînt possible. Mais quand le redeviendrait-elle? Sa montre marquait près de neuf heures, et elle avait promis à Marthe, chez qui elle passerait ses nuits jusqu'au retour de Lassner, de rentrer tôt. Mais d'abord André.

Le froid lui collait aux jambes et ses souliers commencèrent à prendre l'eau. Elle aurait dû chausser des bottillons, fugitif regret. Ce n'était pas une pluie très forte mais elle suffisait à brouiller les façades marquées de lumières jaunes. Enfin, en bordure du Grand Canal, un café ouvert. La chaleur et la fumée la suffoquèrent mais, sous des regards d'hommes, elle s'avança bravement jusqu'au comptoir.

Dans la cabine, elle composa nerveusement le numéro de l'hôtel, dut s'y reprendre à deux fois. M. Merrest? Il n'était pas dans sa chambre. Elle pria qu'on le demandât au restaurant ou dans le hall. La même voix indifférente lui répondit qu'on « allait voir ». L'écouteur à l'oreille, elle attendit, avec dans la tête cette lointaine rumeur d'océan que faisait l'appareil et qui, peu à peu, aggravait son trouble. Par la vitre, elle voyait les consommateurs dans leur épais nuage de tabac, comme immergés dans une eau grise. André la croirait-il? Peut-être cette histoire de Sardi lui paraîtrait-elle invraisemblable. Et pourquoi ne s'était-elle pas insurgée contre la désinvolture du commissaire? Et n'avait-elle pas insisté pour qu'au moins on envoyât quelqu'un téléphoner à sa place? Les tempes serrées, elle préparait en hâte ses réponses. Mais la même voix revint, dit qu'on avait cherché sans résultat M. Merrest, qu'il semblait bien qu'il fût sorti. Laisserait-elle un message? Oui, simplement que Mlle Morel avait appelé.

Elle repartit, soulagée. Ce n'était qu'un sursis mais il lui parut bon à prendre, et ces heures, jusqu'au lendemain, s'étendirent dans son esprit comme une longue plage.

Chez Marthe, un second télégramme de Lassner l'attendait, apporté dans l'après-midi par Adalgisa. Entre autres choses, Lassner disait qu'il se préparait à rentrer.

— Te voilà heureuse! dit Marthe.

Elle l'était, mais avec cette ombre encore projetée sur elle par André. A Marthe et Carlo, elle avait conté l'alerte chez les Sardi, en négligeant les propos du garçon, à la fin. Canular pour l'épater? Fascination réelle de la violence? Opposition à sa famille? Autre chose la préoccupait.

Carlo dit que le produit des rançons servait à l'entretien des « caches » et aux achats d'armes. De son côté, Marthe opina, ses yeux bleus tout chargés de candeur, que, pour énormes qu'elles fussent, ces rançons, après tout, étaient soutirées à des gens qui en avaient les moyens. Et d'ajouter : « Sans compter qu'on ne s'enrichit jamais innocemment! » Réflexions qui déplurent à son mari.

Dans sa chambre, Hélène se déshabilla, rangea ses vêtements avec soin (on l'avait dressée à être soigneuse) et, l'œil critique, se regarda dans la glace. Bon, elle avait toujours le ventre plat, les seins fermes. Ici, comme à Paris, elle pratiquait, le matin, vingt minutes de gymnastique, déjeunait d'un fruit et d'une tasse de thé, parfois d'un yaourt. En face d'elle, luisait le tableau et ses énigmatiques personnages. Elle s'en détourna, revêtit un pyjama, relut le télégramme. Donc, Lassner, bientôt...

QUATRIÈME PARTIE

Pont de la Liberté

1

Dans le couloir de l'étage, le ronflement d'un aspirateur électrique agaçait André. En robe de chambre, le
petit déjeuner expédié, il lisait un journal. On lui avait
remis le laconique message d'Hélène. Il attendait
qu'elle rappelât. Le souvenir de cette longue et vaine
attente, la veille, au restaurant, avec l'hypocrite affa-
bilité du maître d'hôtel (Monsieur attendra-t-il encore?),
entretenait, ce matin, son désir de compenser cette
humiliation par quelque vengeance, mais laquelle? Il
cherchait et — il en était conscient — cette recherche
s'accompagnait d'une légère excitation sexuelle. C'est,
qu'en fait, il ne pensait qu'à un châtiment physique.
Ah, qu'elle pleurât, suppliât, tout son corps palpitant
sous la douleur! Plus que jamais, ce corps l'obsédait.
Il se souvint que, durant ces deux mois de séparation —
quelle faille dans sa vie! —, il avait, un soir, suivi le
long d'une avenue une femme qui, vue de dos, ressem
blait à Hélène, du moins par sa démarche, sa croupe,
le modelé de ses jambes. Il avait dépassé l'inconnue :
un visage sans grâce, une bouche mince. Au diable!
La chute l'avait laissé furieux contre lui même.

Après le restaurant — il s'était finalement résigné à
dîner seul —, il avait accompagné, dans un bar, près du

théâtre La Fenice, un Anglais qui logeait dans son même hôtel. Cet Anglais s'occupait de son yacht à moteur, immobilisé dans le port de plaisance par une avarie. Jusqu'à plus de minuit, mis en verve par les rasades de scotch, il avait raconté des histoires d'escales, de pêches, d'ouragans qui assommaient André, toute sa pensée occupée par Hélène. Comment, en fait, détruire cette sensation intolérable d'être nié par un être qu'on juge inférieur à soi? Et qui, cependant, vous manque? Mais était-ce réellement contradictoire? Ce problème, et d'autres liés aussi à Hélène, plus aigus sous l'effet de l'alcool, laissaient une faible chance à l'Anglais de l'intéresser à ses aventures. Malgré tout, il était reconnaissant à ce type au crâne rasé, aux joues violettes, de rester avec lui.

Dans le couloir, le ronflement de l'aspirateur avait enfin cessé. Le vent courait dehors, secouait des persiennes. André se mit à étudier des dossiers. Après dix heures, il devait appeler le directeur d'une succursale de Lyon. Autre appel : Roubaix. Pour le cas où Hélène le demanderait, dans le moment même où il occuperait la ligne, il donna des consignes au standard.

Vers midi, il sut qu'Hélène ne s'était pas manifestée. « *Niente, signor!* » avait répondu la téléphoniste de sa voix de corneille.

Il sortit, se dirigea vers le Grand Canal.

Qu'Hélène, ce matin, eût encore dédaigné de l'appeler l'irritait au plus haut degré sans, toutefois, entamer sa confiance dans son autorité sur elle. Chez une fille

de ce genre, déjà timide, on avait accentué sa pente à
la réserve, à la soumission. Sa mère s'y était fermement
employée, ce qui ne l'avait jamais empêchée, elle, de
se régaler avec un autre que son mari! Yvonne était
plus intelligente, mais qu'avait-il besoin d'une femme
intelligente? Et, depuis toujours, il détestait les intellectuelles. De toute manière, que venait faire l'intelligence
dans les plaisirs du lit? Si la part de cérébralité n'était
pas niable dans l'érotisme, elle relevait à ses yeux uniquement de l'homme, toute partenaire n'étant pour
lui qu'un instrument plus ou moins docile.

La maison d'Hélène, il la reconnut de loin à la
potence de fer ouvragé, scellée à la façade, qui supportait un lampadaire. Déserte, la rue. Par la fenêtre de la
cave atelier au rez de-chaussée, il vit Pagliero, le dos
tourné, qui énergiquement maniait une scie, sur le
fond rougeoyant de la cheminée. Sans hésiter, André
pénétra dans le corridor, grimpa l'escalier. Il frappa
à l'unique porte du premier étage. Pas de réponse. Il
mania le loquet. En vain. Monta au second. Là non
plus, personne. Mais le battant s'ouvrit. Entrerait il?
Un instant, il demeura devant cette pièce où tous les
objets paraissaient fondus dans la pénombre. En effet,
les lourds rideaux de la fenêtre étaient tirés. Seul bruit,
celui, régulier, de la scie à main, qui montait de l'atelier.
Si on le surprenait, quelle explication donnerait il?
L'imposte qui éclairait la cage d'escalier encadrait une
étendue de toits, un clocher ajouré, ses cloches bien
visibles. Il devait repartir. Sans doute avait il manqué

Hélène. Mais cette pièce le retenait. A présent, il distinguait des taches régulières sur les murs. Plans de villes ou cartes géographiques? Le menuisier, en bas, ne l'avait pas vu entrer. Rien ne bougeait depuis qu'il se tenait sur ce palier. La scie elle-même s'était tue. Une voix de femme, dehors, appela sur deux notes aiguës. Et, de nouveau, le silence. Il allongea le bras, chercha à tâtons l'interrupteur, alluma. Des agrandissements photographiques! Il s'avança de deux pas. A l'exception d'une tête casquée de motocycliste, Hélène partout. Nue sous la douche, sur un fauteuil. Et à gauche un gros plan d'Hélène. Pas malin de comprendre que ce cliché avait été pris tout de suite après une étreinte amoureuse! Un visage marqué par la jouissance, l'abandon absolu, l'exaltation profonde de la chair. Jamais, non jamais, il ne lui avait vu ce masque presque douloureux à force de bonheur! Une rage le prit de détruire ces images! « La garce », murmura-t-il avec un mélange d'envie et de haine. Elle ne lui avait pas menti. Elle couchait avec un autre. Avait-il dû lui paraître ridicule, l'autre jour, avec son refus d'y croire! Tous ces portraits et leur stupéfiante présence, leur présence suggestive, lui paraissaient — jusqu'à l'angoisse — une négation de lui même. Il se rapprocha davantage, les examina un à un, et ce corps qu'il connaissait, ces seins petits mais parfaits, ces épaules, cette courbe des reins étaient d'une femme inconnue, d'une étrangère, avec une plénitude intérieure, une richesse d'émotions insoupçonnée! Un autre avait donc su tirer des profondeurs de son être ce sourire intime, léger comme une caresse du bout des lèvres, et cette intensité de vie dont lui ne s'était jamais soucié. Il en

voulait à cet amant qui avait provoqué une telle méta-
morphose, comme s'il lui avait faussé une belle mécanique à laquelle il tenait. Ressaisir Hélène serait désormais plus ardu! Mais le sentiment de dépossession
devenait en lui aussi violent que celui de l'orgueil
outragé. Il fallait rejoindre cette fille, la plier de nouveau
à son désir. Toute sa volonté se tendit comme s'il s'apprêtait à tuer, à enfoncer un morceau d'acier dans de
la chair vivante. Du poing, il frappa l'image la plus
proche, celle où Hélène figurait nue sur un lit, les
jambes à demi pliées, le regard vers la caméra, c'est-
à-dire vers André lui-même mais avec une expression
tendrement complice qui n'était pas pour lui.

Vivement, en négligeant d'atténuer son pas, il descendit l'escalier, passa devant la porte de l'atelier,
ouverte à présent, négligea l'individu qui, de l'intérieur,
le regarda avec ébahissement, sortit même sur le seuil
pour le suivre des yeux jusqu'au carrefour.

Où aller? Où retrouver Hélène? Rien n'était réglé
avec elle et il ne pouvait davantage prolonger son
séjour, requis comme il l'était par ses affaires, ses
engagements. Qu'un homme comme lui, qu'un homme
dans sa position sociale se trouvât jeté ainsi aux
trousses d'une femme sans prestige et qui, de surcroît,
s'était liée à un autre, le mortifiait, attisait en lui une
rage de rapt, de viol! Était-ce cela, la jalousie? Allons
donc! Qu'un autre jouît d'elle l'affectait dans la mesure
où ce rival chercherait à la garder, à la détourner de
lui. Non, pas de jalousie. Autre chose. Et plus profond.
Il n'existerait pas, au sens plein du terme, s'il n'alimentait
pas son esprit de cette possession lucide d'un corps
absolument soumis à son caprice. Avec âpreté, il se

rappela un film dans un sex-shop d'Amsterdam, une fille attachée à un chevalet en X, bras et jambes écartés, et que l'on tourmentait à la cravache. Un film, bien sûr, rien qu'un film. Et la fille tenait un rôle, mimait la souffrance...

Allons, il disposait encore de trois jours.

André se dirigea vers l'hôtel, dans le vent froid qui agitait la surface des canaux. Peut-être Hélène, en son absence, avait-elle appelé? Laissé un message? Il hâta le pas.

Au-dessus d'un grand miroir, dans le hall, l'horloge marquait midi et quart. Il interrogea le portier. Depuis qu'il s'était entremis — à bon prix — pour Teresa, celui-ci souriait plus familièrement à André comme s'il espérait quelque autre « arrangement ». Non, dit-il, personne n'avait demandé Monsieur. André ne le remercia même pas. Gifler à toute volée ce visage idiot l'eût soulagé.

— Qu'on me prévienne le cas échéant, dit-il. Je suis à côté.

— Bien, monsieur.

Du hall, André passa directement dans la salle du restaurant. L'Anglais l'aperçut, lui fit signe. Il accepta l'invitation de partager sa table, ennuyé de n'avoir pas, la veille, retenu exactement son nom : quelque chose comme Chattaway.

— Bon vent, aujourd'hui, monsieur Merrest?

— Une vraie tempête, sir.

Et de vrai, il était d'une humeur à fracasser les

chaises, mais l'autre crut qu'il s'était mépris sur le sens
de sa formule :

— Oh! Forte brise d'est, sans plus.

Peu de monde dans la salle. Au fond, une fresque.
copiée d'un tableau du Canaletto, représentait le bassin
de Saint-Marc vu de la pointe de la Giudecca avec, au
premier plan, une jeune femme en robe rose. Le maître
d'hôtel, à binocle et habit noir, vint prendre la com-
mande et repartit d'une allure de hibou qui retourne à
son arbre.

Comme la veille, Chattaway se mit à raconter en
anglais des histoires. André l'écoutait à peine, mais
dressa l'oreille à un récit où il était question de deux
amants, faisant l'amour dans un petit bateau au large
des Baléares. Le mari de la jeune femme les rejoint en
hors-bord, les enferme dans la cabine et crève la coque
au-dessous de la flottaison. Lui, Chattaway, qui croise
par là, aperçoit le voilier immobilisé et qui penche de
façon bizarre. Il vire, lance ses deux moteurs à plein
régime, délivre les deux amoureux qu'il trouve tout
nus et fous de terreur.

— Vous voyez la scène, monsieur Merrest? Cette
jolie fille épouvantée, ses beaux seins tout palpitants, se
jetant sur moi pour que je la sauve? Dire que j'aurais
pu l'enlever et laisser l'autre imbécile se débrouiller
avec le dinghy!

— En effet, vous auriez dû, dit André.

— Hé, c'est une blague! J'apprécie trop les femmes
pour jouer à celle-là ou à une autre un tour pareil.

— Qu'entendez-vous par : apprécier les femmes?

— Les tenir pour meilleures que nous. En tout cas,
plus généreuses.

— Celle-là trompait son mari, dit André.

— Pas un motif suffisant pour moi d'abuser d'elle en profitant des circonstances.

André sourit avec ironie. Chevaleresque, ce bougre à qui son crâne rasé et sa figure plissée donnaient un air de dogue? Il regarda la femme en rose sur la fresque, sa longue robe en tulipe renversée, la tête portée sur un cou délicat qui s'élançait gracieusement depuis l'arrondi des épaules.

On les servait lentement comme si le personnel manquait dans les cuisines ou comme si on se désintéressait d'eux. André s'impatienta, engueula le maître d'hôtel qui devint encore plus hibou, les yeux clignotants sous le binocle.

— Mais oui, monsieur. Vous avez raison...

Subitement l'idée était venue à André qu'Hélène à deux heures irait pour sa séance chez cette Mme Poli, rue Santa-Caterina. S'il voulait la rattraper, il avait tout juste le temps.

2

Mme Poli avait déjà enregistré le début de ses Mémoires.

— Savez-vous taper à la machine? demanda-t-elle à Hélène.

— Oui. A Paris, j'étais secrétaire de direction.

— Secrétaire! Vous couchiez avec votre patron?

Hélène protesta. Elle trouvait Mme Poli très pittoresque mais jugeait excessives certaines de ses impertinences.

— Je n'ai rien dit de mal, ma chère. Selon mon mari, orfèvre en la matière, le droit de cuissage existerait aussi bien pour les patrons que pour les directeurs littéraires, les chefs de bureau, les rédacteurs en chef et autres. Non, non, ne vous fâchez pas et laissons cela. Si c'est une légende, bravo! Vous pourrez donc me recopier ces choses?

— Certainement, dit Hélène qui trouvait là une occasion de compenser la perte de ses leçons au jeune Sardi.

— Parfait. Votre tarif sera le mien. Vous allez, à présent, écouter ce premier enregistrement. Je parle de mes origines, et beaucoup de mon père qui était un homme d'affaires très retors. Il a fait fortune au temps de la guerre d'Éthiopie avec les fournitures à l'armée. Sous le fascisme, son entreprise de textiles était déjà pros-

219

père mais, à fournir des couvertures et des toiles de tente à nos services d'Intendance, il a quintuplé ses bénéfices. Bien entendu, il devait glisser des pots-de-vin à des hommes politiques et à des dignitaires du régime mais, sous la République, les choses n'ont pas changé, et en France vous connaissez ça aussi. Moi, en 1935, lorsque nos troupes ont envahi le pays sans déclaration de guerre, j'avais déjà l'âge de comprendre bien des choses, en particulier la lâcheté de certaines nations, lâcheté qui laissait prévoir celle de 1937 à l'égard de l'Espagne républicaine et, en 1938, à l'égard de l'infortunée Tchécoslovaquie. Mais je m'égare. J'en reviens à ma famille. Nous vivions sur un grand pied. Et sous un portrait géant de Mussolini! Nous avions une valetaille digne d'une maison princière. Quand j'ai eu vingt ans, mon futur époux a pointé chez nous son museau de rat. Il a un flair étonnant pour l'argent. Cachez un billet de mille lires dans cette pièce et, les yeux bandés, il ira dessus comme un cocker sur un perdreau. Je vous résume très mal toutes ces choses. Le mieux est que vous écoutiez.

Elle mit le magnétophone en marche et, surprise, Hélène l'entendit développer les mêmes faits d'une voix précieuse, presque minaudière, sans rien de l'âpreté qu'elle venait d'employer.

— Je voudrais, ensuite, raconter comment, moins d'un an après notre mariage, j'ai surpris mon mari dans un petit salon, occupé à faire l'amour à une femme de chambre sur un canapé aussi étroit qu'une planche à repasser! Il était grotesque avec ses mollets de coq et sa chemise en bannière.

Elle s'agita sur son sofa, le fume-cigarette en l'air,

toute sa masse tremblotant sous le rire qui lui ajoutait un troisième bourrelet de graisse sous le menton.

— Je ris parce que, trois jours après, je me suis vengée avec son meilleur ami. En vérité, il a fallu que j'y mette du mien parce que cet imbécile, croyez-vous?, avait des scrupules! Je ne sais si j'évoquerai tout cela. Et pourtant, quel beau tableau de mœurs cela ferait! Oui?

Ce « oui? » ne s'adressait pas à Hélène mais à Maddalena qui venait de gratter à la porte. La vieille femme entra, hésita :

— Eh bien, de quoi s'agit-il? demanda brusquement Mme Poli. Parlez donc!

Maddalena se pencha pour lui murmurer à l'oreille quelque chose qu'Hélène ne perçut pas mais qui l'alerta, car il s'agissait d'un homme qui attendait en bas, dans le vestibule, et tout en chuchotant, Maddalena jetait vers elle de brefs regards. Une sorte d'étouffement la prit quand Mme Poli, une main sur sa vaste poitrine, lui dit :

— C'est pour vous. Quelqu'un demande à vous voir. Un certain Merrest.

— Mais, est-ce le moment?

Mme Poli vit sa pâleur et dit à la vieille :

— Qu'il vienne!

— Madame! gémit Hélène dont le cœur s'était gonflé de sang.

— Ne vous agitez pas, dit Mme Poli d'un ton mielleux. Avec ma maladie, je vis en recluse. Toute visite est une aubaine.

Hélène entendit ce pas d'homme dans l'escalier, dressa la tête lorsque André parut. Il eut un rapide regard pour elle et pour cette pièce qu'il dut juger bêtement « féminine », avec sa profusion de coussins et de lampes, ses collections d'opalines et de sulfures.

— Monsieur Merrest, asseyez vous donc, dit Mme Poli
en lui désignant une chaise.

— Merci, madame. Je ne suis là que pour une minute.
Juste un mot à dire à Mlle Morel.

— Juste un mot?

— Pardon de mon indiscrétion. J'ai bien tenté de
téléphoner pour ne pas vous déranger, mais votre
domestique m'a dit qu'il lui était interdit de vous passer
des communications avant quatre heures.

— C'est bien cela.

Mme Poli laissa (intentionnellement?) s'écouler un
assez long silence, sans cesser de regarder fixement le
visiteur. Hélène pensa qu'il s'agissait sans doute d'une
attitude destinée à mettre André dans l'embarras. A
présent, remise de sa frayeur, elle suivait avec une attention qui lui serrait le crâne la scène entre ces deux personnages avec le soupçon, encore vague, qu'un affrontement se préparait entre eux. André, sur sa chaise, se
tenait le buste droit, une main sur la cuisse, comme s'il
posait pour un photographe de campagne, tandis que
Mme Poli, sur son divan, avait repris une pose à la
Récamier.

— Vous êtes arrivé à Venise jeudi dernier, n'est-ce pas?

— Oui, madame, dit André sans dissimuler un léger
étonnement qui lui fit écarquiller les yeux.

— Vous ne me demandez pas comment je le sais?

— Mlle Morel, je suppose.

— Non.

De façon presque puérile, Mme Poli savourait d'avance
son petit effet, sa bouche minuscule pincée en un sourire qu'elle voulait malin.

— Ce jour-là, Mlle Morel était venue ici pour sa séance habituelle, le visage aussi blanc que du poulet bouilli. Comme elle a pris ce même visage dès que vous vous êtes annoncé, j'en ai déduit que si les mêmes causes...

— Madame, dit André avec une dignité un peu trop raide, vos déductions sont peut-être pertinentes, mais je ne saurais les supporter.

— Il faudra bien vous y faire, dit suavement Mme Poli en s'éventant avec son mouchoir.

D'évidence, elle jouait à fond un jeu de dérision qui inquiéta Hélène. Elle vit le visage d'André se durcir sous l'effet d'une fureur rentrée et craignit que l'entretien, ainsi engagé, tournât mal. Et s'il tournait mal, sans doute en ferait-elle les frais.

— Cela dit, pourquoi avez-vous tenu à ce que je vous reçoive? demanda Mme Poli après avoir tété voluptueusement son fume-cigarette. Est-ce urgent?

— Urgent est le mot.

— Au risque de vous montrer importun?

— C'est cela même.

— Mlle Morel termine ici son travail à seize heures. Elle le mettait à la porte!

André se leva de façon si nerveuse que la chaise, derrière lui, faillit se renverser. Ses joues étaient devenues pourpres comme si on l'avait giflé. Hélène le sentait offensé au-delà du supportable, atteint au plus profond de son orgueil et, dans le même temps, stupéfait du comportement de Mme Poli dont il ne pouvait concevoir les motifs. Il tenait ses bras le long du corps. La main gauche, serrée sur le chapeau de feutre, tremblait de façon à peine visible mais communiquait ce tremblement à l'étoffe du manteau. De nouveau, la peur. Hélène savait André capable de violence. Mme Poli en était-elle consciente? Elle paraissait se complaire à le provoquer, à le pousser à bout, comme si ce n'était pas seulement André qu'elle avait devant elle mais tous les fantômes de sa vie passée, tous les André dont elle avait eu à souffrir. L'humilier était peut-être à ses yeux un moyen d'atténuer le tranchant de certains souvenirs. Lentement, le regard coléreux d'André passa de Mme Poli à Hélène, revint sur Mme Poli qui, le fume-cigarette à la bouche, l'observait de façon aiguë, les yeux clignés comme elle ferait pour observer le comportement d'un singulier spécimen du règne animal. Tant d'insolence effraya Hélène.

— Madame, dit André d'un ton sec, j'attendrai Mlle Morel à mon hôtel lorsqu'elle en aura fini avec vous.

— Elle serait bien imprudente de vous y rejoindre, répliqua Mme Poli, goguenarde. Vous ne me demandez pas pourquoi?

André, qui déjà entamait à reculons une glissade vers la porte, s'arrêta.

— Si son ami, car elle a un ami, apprenait que sa maîtresse, en son absence, est allée retrouver un riche monsieur — distingué mais d'un certain âge — à son hôtel, il penserait peut-être de vilaines choses. Vous n'avez pas idée de ce que nos jeunes gens d'aujourd'hui, en dépit de leurs airs affranchis, peuvent être vétilleux lorsqu'il s'agit d'une femme. Je veux dire : d'une femme à laquelle ils tiennent particulièrement.

— Vos remarques me touchent, madame, dit durement André, mais c'est à Mlle Morel de répondre, non à vous!

Cette pointe, Hélène comprit qu'elle se retournerait vite contre lui.

— Soit, dit Mme Poli, jouant d'abord les bonnes filles. (Et après un bref silence :) Mais puisque vous êtes ici chez moi, et que j'ai bien voulu vous recevoir, il faudra que vous entendiez encore ceci...

André haussa imperceptiblement les épaules et, de nouveau, recula vers la porte comme quelqu'un qui, excédé, refuse d'en supporter davantage.

— Une seconde, s'il vous plaît!

Il obéit. Aux lèvres, cette fois, le sourire affecté d'un homme sensé qui, pour s'amuser, accepte d'écouter quelque créature délirante.

— Monsieur Merrest, le fait d'avoir couché avec une femme ne donne sur elle aucun droit de propriété, comme si l'on avait acquis à la foire une truie ou une jument. J'aime bien Mlle Morel. Elle est fine et sensible. Elle mérite d'être heureuse. Cela dit, si cela vous convient, vous pouvez vous entretenir à côté. Ne me remerciez pas, monsieur. J'ai eu trop de plaisir à vous voir jouer les épouvantails.

Avec une souriante effronterie, elle fit un geste de la main qui tenait le fume-cigarette comme pour chasser André hors de sa vue. Lui, outré, s'enfonça le chapeau sur la tête, sortit sans un mot. Encouragée par un signe de Mme Poli, Hélène le rejoignit dans l'antichambre.

Là, elle trouva un André les yeux étincelants, les narines dilatées de colère. De nouveau, il avait retiré son chapeau et lissait nerveusement ses cheveux.

— Qu'est-ce que c'est que cette grosse pute? grondat-il. D'où sort-elle?

Il ne parvenait pas à calmer son agitation et jetait

autour de lui des regards dégoûtés (la pièce était nette, élégamment meublée, avec de beaux fauteuils Empire) comme s'il s'était fourvoyé dans quelque bouge crasseux. Puis il fit une profonde aspiration, se domina, dit d'une voix qui se voulait compatissante :

— Je te plains. Ah ça... je te plains. Si tu dois subir des gens pareils pour gagner ta vie! Et tu vas continuer?

Jusque-là, ses propos n'appelaient pas vraiment de réponse. Il parlait surtout pour lui même, pour libérer son trop-plein de fureur. Puis :

— Pourquoi n'es-tu pas venue hier soir?

— J'ai été retenue par une enquête de police.

Il la regarda comme s'il la soupçonnait de raconter n'importe quoi.

— Tu m'expliqueras ça. A présent, je dois repartir. Je t'attends à cinq heures à l'hôtel.

— Non.

— Ah oui, dit-il un peu sarcastique. Cette grosse dondon t'a influencée!

— Avons-nous réellement besoin de nous revoir?

— Nous avons à parler, c'est certain!

Un ton ferme, sans rien de menaçant, avec une nuance de reproche.

— J'ai une leçon jusqu'à six heures, dit-elle. Près de Santa-Maria Formosa. Les cafés ne manquent pas dans ces parages.

— Soit, j'en connais un.

Il lui indiqua celui, près de la Fenice, où la veille il avait terminé la soirée avec l'Anglais.

Elle voulut revenir dans le salon, rejoindre Mᵐᵉ Poli, mais André la retint par le bras, comme il l'avait fait à leur première rencontre.

— Tu viendras, n'est-ce pas?

— Mais oui.

Ils se regardèrent un instant dans les yeux, puis Hélène se dégagea elle-même en s'aidant de sa main libre.

3

A l'heure où Hélène quitta Mme Poli, tout ce qui restait de lumière dans le ciel se concentrait en une dernière barre de clarté au ras de l'horizon, et les fenêtres commençaient à s'allumer. Tristesse du soir. Hélène se rappela cette voix de sa mère, l'hiver, à la nuit, quand elle revenait de l'école, une voix pour interdire ou pour gronder.

Elle marchait vite, le vent froid perçait son manteau, la frappait au visage, lui remplissait les yeux d'eau. Elle se rappela ce que Mme Poli lui avait dit après le départ d'André : « Ne vous laissez pas effrayer. Les hommes nous terrorisent depuis des siècles. La seule chose qui me plaise un peu chez nos terroristes d'aujourd'hui — je ne parle pas des poseurs de bombes —, c'est, l'avez-vous remarqué?, qu'ils n'attaquent que des hommes. Ceux-ci ont peur. Et ils viennent auprès de nous, tout gentils pour être consolés. Sainte frousse, qui leur fait perdre de leur superbe! »

Et de rire.

Mais, fidèle à sa passion anti-mâle (elle disait anti-macho), Mme Poli avait, de propos délibéré, durement barbelé toutes ses flèches. André avait dû ressentir, parmi d'autres, l'allusion à son âge. Lui qui s'efforçait d'en retarder les effets, d'en atténuer les apparences, devait, pour cela aussi, haïr cette énorme femme qui, devant Hélène, l'avait humilié. Ce que serait la prochaine rencontre, elle préférait ne pas y songer, bouleversée comme elle l'était encore par la scène précédente.

Chez Hölterhoff, elle arriva très en avance. Le vieil homme était absent mais, dit Magda sa sœur, il ne tarderait guère. En attendant, dans le salon où se dressait, sinistre derrière sa vitrine, le mannequin noir, Hélène s'entretint avec la dame suédoise dont le séjour finissait. Elle devait nécessairement repartir pour Stockholm et réintégrer son grand appartement désert. Jamais son mari n'avait voulu d'enfant. Elle vivait donc une vieillesse solitaire.

— Il n'en voulait pas, dit-elle, parce qu'il trouvait insensé de tirer un être du néant pour lui infliger, durant toute son existence, l'angoisse de ce même néant auquel fatalement il devait retourner. Lorsqu'il était adolescent, il avait reproché à ses parents — je le tiens de ceux-ci — de l'avoir conçu, reproche qui avait affligé sa mère. (Elle se tut un long instant. La présence du mannequin lui rappelait subitement qu'Hölterhoff avait perdu son fils unique. Elle reprit mais en baissant la voix :) Et de mon côté, durant toutes nos années communes, j'étouffais des appels en moi, je tentais, dans les larmes, de réprimer ce désir de donner la vie, de répondre, en somme, à ma nature la plus profonde.

Ah, mademoiselle, vous ne savez pas combien je regrette ma soumission. Je vous souhaite... le contraire!

Et elle sourit d'un sourire encourageant.

Hélène répondit à ce sourire. Puis elle se souvint qu'André, et contre le vœu d'Yvonne, ne voulait pas, lui non plus, d'enfants, mais, disait-il, parce qu'ils n'apportent à tout âge que des soucis.

C'est à ce moment qu'Hölterhoff arriva, le manteau emperlé de pluie. Il dit tout de suite :

— Vous restez à dîner, n'est-ce pas, mademoiselle?

Comme elle hésitait, la vieille dame suédoise intervint. Pour sa dernière soirée à Venise, la présence d'Hélène lui ferait plaisir aussi. Après avoir calculé que son entrevue avec André ne dépasserait guère une heure (quoi qu'il arrivât, elle s'en tiendrait à ce délai!), Hélène finit par accepter en signalant toutefois la nécessité, après sa leçon, d'honorer un rendez-vous dans le quartier.

André l'attendait, un journal déplié sur la table. Dans la salle, il avait choisi un emplacement éloigné du comptoir où des boxes — cuir rouge et acajou — baignaient dans un clair obscur. Cette fois, il s'agissait d'un établissement de luxe, non d'un bistrot, comme la semaine précédente, sur l'autre rive. Pour une raison qu'elle n'eut pas le temps d'approfondir, Hélène regretta l'atmosphère de l'autre salle mais, déjà, on la débarrassait de son imperméable et de son béret. Elle vit que le barman — veste blanche, épaulettes torsadées et nœud papillon — la regardait fixement, sans doute intrigué par sa pâleur. Un des boxes voisins était occupé par deux hommes qui fumaient le cigare et s'entretenaient face à face, presque front contre front, en éclatant parfois de rire. André parut à Hélène plutôt calme, mais elle ne s'étonna point qu'il recommençât à vitupérer Mme Poli. (Il la compara à une tenancière de bordel marseillais.)

— Ne parlons pas, poursuivit-il, de son argument petit-bourgeois qu'un rendez-vous dans un hall d'hôtel peut être compromettant!

— Tu n'aurais pas dû venir, dit doucement Hélène.

— J'étais décidé à te retrouver coûte que coûte!

— Ne nous sommes-nous pas tout dit?

— Oh non! Et d'abord, tu dois m'expliquer pourquoi, hier soir, tu ne m'as pas rejoint.

Ils durent ménager un temps pour que le barman prît les commandes, puis elle résuma ce qui s'était passé chez les Sardi. Sans intention particulière, elle ajouta que les enlèvements d'industriels et de riches personnalités, en vue d'une rançon, n'étaient pas rares, et, ici, André lui parut encore plus attentif. Elle décrivit ensuite son impossibilité de le prévenir, insista sur l'autorité imbécile du commissaire.

André, qui tout au long l'avait écoutée sans l'interrompre, à la fin éclata :

— Et ce matin, bon Dieu! tu aurais pu m'appeler! Je me serais épargné cette visite à ta vieille harpie!

— Je me suis endormie seulement dans la matinée. Toute la nuit j'ai eu des étouffements.

C'était vrai. Après tant de contrariétés, son cœur s'était séparé d'elle et, comme à l'aube elle gémissait dans son lit, Marthe, réveillée, était accourue, sûre de sa science, munie d'une seringue et d'une ampoule de solucamphre. Et elle l'avait laissée dormir aussi tard que possible.

Sachant qu'elle était sujette à ce genre de malaise, André ne fit aucun commentaire. Tous deux, d'ailleurs, demeurèrent silencieux, à fumer et à boire lentement le thé qu'on venait de servir. Quelques minutes après, il demanda :

— Et ce... oui, ton photographe?

Cette question, Hélène l'attendait depuis le début.

— Je t'en ai parlé, dit-elle.

— Exact. Et Mme Poli aussi, m'en a parlé. Tu choisis tes confidentes.

— Que veux-tu savoir de plus?

Il tira une rapide bouffée de sa cigarette, puis :

— Est-ce que tu as l'intention de l'épouser?

— Je ne me suis pas posé la question. Mais quelle importance?

Elle voulait dire : quelle importance désormais, pour nous deux, dans notre cas.

Il parut longuement méditer cette réponse, mais Hélène savait qu'il était peu doué pour la science du cœur, qu'il ignorait tout de sa vie intérieure et ne s'en était jamais soucié. (Au vrai, en ce même moment, André se rappelait un cauchemar qu'il avait fait au cours de la nuit passée. L'affaire du chien des Sardi, tué par asphyxie, la gueule et les yeux brûlés, lui avait remis en mémoire cet espace aride où, à ras de terre, se mouvaient des créatures au corps rosâtre, tout annelé, aux membres courts, dont la tête en boule ne comportait pas d'yeux, rien qu'une bouche très large, une ouverture sans lèvres ni dents, avec des formes indéfinissables qui bougeaient au fond.) Il sortit brusquement de sa rêverie :

— Et, de son côté, dit-il, quelles sont ses intentions?

Il lui parlait calmement, avec cette gentillesse un peu protectrice qu'avec elle, à Paris, il affectait souvent.

— Je n'en sais rien, dit Hélène. Mais, encore une fois, est-ce là le vrai problème?

Le vrai problème n'était-il pas celui de leur séparation? de sa conclusion absolue? définitive? Elle eût voulu l'exprimer de cette manière, mais il ne lui en laissa pas le temps. Pour André, toutes les femmes rêvaient de mariage, de stabilité, de sécurité. Qu'Hélène parût détachée d'un tel projet l'égara, lui donna l'idée qu'avec son photographe (le mot étant pour lui franchement ridicule), il s'agissait d'une liaison occasionnelle, sans racinage, sans véritable possibilité de durée.

— Je n'ai pas été généreux avec toi, dit-il. Je m'en rends compte. Oh, amèrement, crois-moi. Et j'y ai souvent pensé. J'aurais dû t'installer moi-même dans un véritable appartement au lieu de te laisser vivre dans ce minuscule studio. J'aurais dû également te libérer de ce travail idiot à ton bureau, te faire en somme une autre vie. Tu vois, je reconnais mes erreurs. Et ce que je veux, tu le sais bien, c'est ton bonheur.

Se rendait-il compte qu'il lui proposait une existence de « poule » entretenue? Et la sous-estimait-il au point de croire à sa vénalité? De toute manière, Hélène devinait qu'il n'y avait là qu'une entrée en matière. Et, de fait, il reprit :

— Pour Yvonne, je comprends. Cette histoire de suicide t'a beaucoup secouée. Mais, peu à peu, entre elle et moi, les choses se tassent. Un jour ou l'autre, nous parlerons de divorce. A la longue, elle finira par admettre cette solution, la tenir pour raisonnable. Il faut l'y préparer, ce n'est qu'une question de temps.

Comme elle restait silencieuse, il crut qu'elle réfléchissait, qu'elle évaluait le pour et le contre. Le monde des affaires, qui était le sien, l'avait rompu aux tractations, aux ruses de langage, aux approches prudentes et calculées. Son dernier propos pouvait suggérer l'idée qu'après son divorce, c'est-à-dire : sa liberté recouvrée, le champ pour Hélène resterait ouvert. A elle de voir... Dans le même moment, il se sentit mécontent de lui, malade de dépendre de cette fille dont il ne convoitait que le corps. Une fille qu'il n'aurait jamais présentée à ses amis, encore que, arrangée comme elle l'était à présent, elle lui parût presque jolie, plus attrayante. Dès le premier jour, il avait remarqué qu'elle se fardait les joues, les lèvres, ombrait ses paupières, ce qu'elle ne faisait jamais du temps de leur propre liaison. Mais cette coquetterie, ne fallait-il pas l'interpréter comme un signe d'appartenance à l'autre? Attendre. Il devait encore attendre, se surveiller, ne rien gâcher par impatience ou maladresse.

Pour Hélène, le temps semblait arrêté. Par la baie, à sa droite, elle regardait la nuit qui s'était fermée sur la courbe d'un pont, n'en laissait paraître qu'une ligne, sans attache avec les rives, révélé seulement par une lointaine lueur. André se méprit sur ce mutisme, la crut à demi convaincue, à demi gagnée.

— Écoute, dit-il. Demain je dois être à Marghera. Je partirai donc après-demain par le train. Pour Lyon. J'aurai retiré ton billet. Cela te laisse le temps de te préparer, de tout régler ici.

Malgré ce léger engourdissement qui l'avait prise, Hélène nota que, s'il était réellement venu pour elle, il n'en avait pas, pour autant, négligé ses affaires. Mais c'était là une considération en marge de son véritable souci. Restait qu'elle avait suivi cet exercice d'André, tout d'intelligence, c'est-à-dire de cynisme, sans y apercevoir la moindre trace d'affectivité.

Les mains croisées sur la table, de belles mains, fortes et nerveuses, il observait Hélène. Bizarrement, les rires des deux gros clients, à la table voisine, paraissaient donner à leur propre scène un sens joyeux de comédie.

— Eh bien, dit André. Qu'en penses-tu?

Elle tourna de nouveau les yeux vers lui :

— Tu n'as pas compris, dit-elle, avec une soudaine fermeté.

Le ton le choqua, et l'envie de la frapper au visage lui empoisonna l'esprit. Cette fille qu'il avait connue si soumise, si docile, lui résistait, le renvoyait à un monde incohérent de pensées, de sentiments, sur lequel il n'avait pas de prise. D'ailleurs, depuis le début, il avait l'impression qu'il avançait vers elle en écartant en vain d'innombrables rideaux.

— Comprendre quoi? Dis-le, nom de Dieu!

Voix basse, coléreuse. Et ce regard!

Hélène dissimula son émotion, effarée de vérifier, une fois de plus, son pouvoir sur un homme comme lui, de sentir sa crainte de la perdre, comme s'il n'avait pas les moyens de s'offrir toutes les Hélène de la terre!

— Mon ami ne va pas tarder à revenir, dit-elle à la fin. Je l'attends d'un jour à l'autre.

D'un mouvement brusque, elle fouilla dans une poche

de son tailleur, sortit le télégramme de Lassner, le posa
— plié — sur la table.

André le regarda sans y toucher.

— Pas question qu'avec moi tu te dérobes, dit-il.

— Je l'attends, dit-elle, et je pourrais l'attendre ici
sans bouger pendant des semaines, pendant des siècles!

Elle aurait voulu ajouter qu'à Venise, dans cette
période, sa vie venait de commencer, une vie où elle
se reconnaissait enfin, où elle se sentait redevenir elle-
même. Mais il leva la main sans qu'elle comprît s'il
voulait la gifler ou lui ordonner de se taire. Elle ne
baissa pas les yeux.

On rit encore à l'autre table, et une exaltation lui
vint. Ce qu'elle pensait, elle l'exprimerait jusqu'au
bout.

— Jamais je ne retournerai avec toi à Paris, dit-elle.
Ici, à Venise, je suis arrivée. De tout temps Venise était
ma destination. Tout ce qui a précédé ne compte pas.
Ne compte plus. N'a jamais compté!

Des phrases. Il haussa les épaules.

Deux hommes à cet instant pénétrèrent dans le bar,
se juchèrent en parlant fort sur les hauts tabourets
devant le comptoir. Cette intrusion irrita davantage
André, déjà exacerbé de voir à Hélène ce visage de
passion. Il se souvenait de cette image d'après l'amour,
découverte à midi chez Lassner. Deux mois auparavant,
il lui suffisait de prendre cette fille dans ses bras, de
l'étendre sur un lit pour disposer librement de son
corps, en jouir à satiété. Et, à présent, cette barrière,
ce mur qui s'était élevé entre eux depuis qu'Yvonne...
Mais l'obstacle était aussi dans un changement surprenant de sa personnalité, dans cette fierté nouvelle,

cette obstination égale à la sienne. En face de lui, de l'autre côté de la table, elle attendait, la tête baissée comme une pénitente, mais il savait qu'il ne devait plus se méprendre, qu'elle oscillait entre des accès fiévreux d'énergie et un retour à une apparente froideur. Et là, sous ses vêtements, existaient réellement ces seins blancs et doux qu'il connaissait, ce ventre ferme où naguère il s'enfonçait, cette peau au grain si fin que ses mains, ses lèvres, avaient caressée. Tout cela était bien réel et il ne pourrait plus en jouir? Dans ce domaine, l'argent demeurait parfois sans pouvoir (chez Hélène, rien de vénal), et ce visage, ce corps le hanteraient longtemps s'ils lui échappaient. Mais il n'en était pas là.

Entre eux se prolongeait une attente que ponctuaient les mêmes rires bruyants. Le télégramme était resté sur la table. Son jeu à lui était de ne pas y toucher mais, puisque Hélène de son côté ne semblait pas pressée de le reprendre, il décida, sachant que c'était absurde, d'inter préter cette négligence comme un signe favorable. Il ignorait qu'elle attendait anxieusement l'occasion de repartir, et de repartir seule, qu'elle répugnait à se retrouver avec lui dans les rues, de crainte de quelque excès, de quelque scène dont la violence ne pourrait être freinée, comme ici, par des témoins.

Dans ces minutes où tout, à ses yeux, semblait se jouer, André se raisonnait, se disait que, somme toute, Hélène venait de connaître une expérience sexuelle profondément différente et qu'il avait tort de ne pas chercher au moins à deviner ses réactions. Mais la psychologie l'avait toujours écœuré.

A cet instant, quelqu'un ouvrit bruyamment la double porte sur la rue. Tous les visages, sauf celui d'Hélène, se tournèrent vers l'entrée. Chattaway s'ébrouait, retirait sa canadienne, observait avec satisfaction ce cadre sympathique, ces bouteilles multicolores, ces nickels, ces boxes capitonnés. La peste soit de ce gorille! pensa André. Mais l'autre l'avait déjà aperçu, s'avançait en chaloupant, gigantesque, déjà éméché, son crâne rasé captant des lueurs.

— Vous ici? Quel plaisir! Présentez moi donc!

André marmonna le nom approximatif de l'Anglais, dit celui d'Hélène et voulut décourager l'importun de se joindre à eux. Difficile ambition. Chattaway s'était déjà assis à côté d'Hélène, ses deux gros poings posés devant lui sur la table comme deux marteaux. Il lui dit son bonheur qu'elle parlât anglais, son italien à lui étant des plus sommaires, offrit une tournée, révéla que son bateau serait remis à l'eau le lendemain et qu'il appareillerait bientôt pour Corfou, tout cela sur le ton d'un homme convaincu que ses problèmes personnels passionnent infailliblement les autres. Pendant que le barman s'empressait, complimentait ce client qu'il savait généreux, Hélène reprit son télégramme. André vit le geste et sourit méchamment.

Puis Chattaway fit l'aimable avec Hélène, se lança dans une de ses histoires. Un de ses compatriotes avait loué tout un étage dans un antique palais, la propriétaire, une vieille et digne personne, s'était réservé le rez-de-chaussée. En furetant dans les recoins, le Britannique — précisons bien : un Écossais! — avait découvert, devinez quoi, ha, ha! Au fond d'un réduit (bric-à-brac, poussière et moisissures) une toile roulée, écaillée, abandonnée! Et une toile de qui? De Carpaccio! La montre à la digne vieille dame qui n'y connaît

goutte. Lui demande combien elle veut de cette salo-
perie aux trois quarts pourrie — il exagère à dessein!
Elle ne sait pas. Lui, malin, lui propose un million de
lires. Moins que rien. Affaire conclue. Le cher compa-
triote arrive à Rome, tout glorieux. Montre le chef-
d'œuvre à un ami, expert en diable, qui fait la moue.
Cette copie, toute récente, honnête exercice d'un bon
élève des Beaux-Arts — l'original étant au musée Carrera
de Bergame — vaut tout au plus — bon prix — cinq
mille lires!

Là-dessus, enchanté de leur attention, il invite Hélène
et André à dîner au restaurant de son hôtel pour fêter
la prochaine remise à l'eau de son yacht. Sans hésiter,
André dit oui, regarde Hélène, certain qu'elle aussi
approuvera, mais Hélène remercie, dit qu'elle est attendue ailleurs. C'est lui qui insiste. En vain. Sous le
regard surpris de l'Anglais elle se lève, s'excuse et repart
comme si elle s'enfuyait.

— Qu'y a-t-il? Lui aurais-je déplu? demande Chattaway qui, l'alcool aidant, manifeste un navrement
disproportionné au motif.

— Mais non, dit André, feignant la désinvolture.

— Elle est charmante. Très. J'imagine que vous saurez comment la retrouver?

— Sans aucun doute.

4

Vers dix heures, Hélène repartit de chez Hölterhoff, après une soirée paisible au cours de laquelle, cependant, avait pesé sur son esprit la scène avec André. Elle n'avait pas oublié le regard sarcastique de celui-ci lorsque, pour se dégager, elle avait mis à profit la présence de cet Anglais. De loin, les lumières du marché de nuit, près du Rialto, projetaient une lueur en éventail qui, au delà du Grand Canal, forçait l'obscurité. Tout chargé d'eau, un vent noir montait de la mer. Elle pressa le pas pour retourner chez Marthe en se disant que, pour ses dernières heures à Venise et dans la certitude humiliante de repartir seul après un séjour pour rien, peut-être André chercherait-il, d'une manière ou d'une autre, à se venger. Céder sans compensation n'était pas dans sa nature. Froid calculateur, il était capable de manœuvres minutieusement ourdies. Jusqu'à son départ, elle devrait donc craindre, se tenir sur ses gardes.

Elle traversa le marché, tout illuminé. Suspendus au-dessus des étalages de fruits et de légumes, des files de jambons brillaient dans leurs enveloppes d'étain comme de lourdes pièces de métal. Elle eût voulu s'arrêter pour acheter des oranges, couleur de feu sous l'aveuglante clarté des lampes, mais elle se sentait lasse, les jambes molles, et avait hâte d'arriver. Peu après, un chat, devant elle, jaillit d'un soupirail, traversa la rue en trois bonds, disparut. Le souffle bloqué par l'émotion, elle comprit combien ses nerfs étaient devenus fragiles et se dit qu'elle n'aurait pas une résistance suffisante pour supporter davantage, sans craquer, cette pression qu'André, depuis des jours, exerçait sur elle.

Carlo dormait devant son poste de télévision qui diffusait un match de football et, dans le salon voisin, Marthe lisait. Tout de suite, elle courut joyeusement vers Hélène, l'informa que Lassner, une heure plus tôt, avait téléphoné. De Rome! De l'aéroport! Avait laissé un numéro d'hôtel!

— Je n'ai su où te joindre...

Demeurée seule — discrètement, Marthe avait filé de son pas de souris — Hélène appela. Elle obtint très vite Lassner dont la voix, d'un coup, parut la délivrer. Il disait qu'il avait eu des difficultés pour quitter Beyrouth, qu'il s'était débrouillé pour prendre l'avion à l'aérodrome militaire, l'aérodrome international étant, ce jour-là, attaqué. S'était posé à Athènes. Autre attente. Et ces contretemps lui avaient fait manquer le train de nuit. Mais il partirait en avion le lendemain pour Milan, expédierait là-bas ses obligations sans perdre une minute pour la rejoindre. Quand? mais dans la soirée! Le Liban? Il lui raconterait. Comment allait-elle? Ne l'avait-elle pas oublié? Se souvenait-elle vraiment de lui? Elle répondit sur le même ton de badinage amoureux. Elle serait chez eux dans la soirée, l'attendrait. « J'y compte bien », dit-il avec gaieté. Elle s'efforçait d'imaginer à sa voix les expressions de son visage, d'imaginer ses lèvres, ses yeux. Sous les mots — si simples — de la tendresse s'ouvrait ce monde de l'amour où l'on pouvait vivre malgré la douleur, la haine, le danger.

Elle rejoignit Marthe et Carlo. Tous deux ignoraient la présence d'André à Venise. Pour ne pas les perturber, Hélène avait négligé de les prévenir.

— Tu vois, disait Marthe, que ton horoscope disait juste : « Heureuses nouvelles pour la semaine! »

Marthe croyait à l'astrologie. Naguère, elle avait même acheté un talisman « imprégné, disait la notice, d'influences médiumniques astrales bénéfiques ». C'était une médaille qui représentait un masque africain. De la même manière, elle avait répondu à l'annonce du mage Inarim, d'origine indienne, « détenteur des secrets d'une secte du Thibet qui lui permettaient d'entrer en communication avec les puissances surnaturelles ». Elle l'avait caché à Carlo qui, esprit fort, aurait désagréablement ironisé. Il est bon de dire que, d'elle-même, elle avait renoncé à consulter le mage en soupçonnant, à l'examen des prospectus, qu'Inarim pouvait bien représenter l'anagramme de Marini.

Dans la matinée du lendemain, Hélène avec Adalgisa s'occupa de mettre toute la maison en ordre, et pour compléter le décor de la fête, elle changea les rideaux de sa chambre, les voulut plus légers, plus mousseux, et acheta aussi de longs iris de Hollande. Elle prévint également Pagliero du retour imminent de Lassner, qui avait demandé des nouvelles d'Anna-Maria. Elle l'avait rassuré, quoique à ce jour la santé de la jeune femme n'eût pas encore fait de progrès.

Elle partit ensuite pour la Merceria en quête d'un magasin où elle pourrait louer une machine à écrire car elle avait pris très au sérieux l'offre de Mme Poli de recopier ses Mémoires. Ces quelques activités ne l'empêchaient pas d'être obsédée jusqu'à l'angoisse par la pensée d'André.

L'étrange fut que l'après-midi, Mme Poli dédaigna d'évoquer la visite de celui-ci. Hélène s'attendait à l'un de ses verveux commentaires, mais non. Elle dit simplement :

— J'espère que ce butor en a assez entendu hier pour qu'il cesse de vous importuner.

En réalité, elle paraissait pressée d'en venir à ses problèmes personnels, c'est-à-dire à la rédaction de ses souvenirs. Elle en avait encore enregistré la veille une bonne partie, mais avait aussi rassemblé des photographies d'elle même dans sa jeunesse. A présent, elle était décidée à publier un ouvrage illustré, moins par narcissisme que pour prouver combien elle avait été une créature séduisante et digne d'un bonheur vrai.

Surprise pour Hélène de découvrir, dans le portrait d'une svelte et gracieuse jeune fille, aux hanches plates, aux yeux vifs, les traits de Mme Poli.

— N'est ce pas que j'étais belle?

— Très belle.

— Moi aussi j'attendais l'amour. Ce qu'on peut être bête à cet âge, mon Dieu! Ma mère, elle, avait des caprices insensés. A Fregene, elle avait fait construire une maison du plus mauvais goût, les nouveaux riches vous savez!, avec un invraisemblable bassin au milieu du grand salon, bordé de monstres marins à groin et à écailles. Elle avait voulu aussi, près d'elle, un lionceau rapporté d'Éthiopie par un officier de ses amis. Au fur et à mesure qu'il grandissait, le lionceau déchiquetait tous les fauteuils. Les domestiques en avaient peur. De plus, il sentait fort. Voici la photo de ma mère avec son fauve. (Hélène vit une longue femme au regard vide, coiffée d'un diadème et tenant en laisse son lion.)... Au vrai, c'était une créature frivole qui s'ennuyait ferme malgré toute sa fortune. Elle ne portait de véritable intérêt qu'à la médecine, se croyait toujours atteinte de quelque maladie, et convoquait presque tous les jours son médecin avec lequel elle a, je crois, fini par coucher. Je dis « je crois » parce que la fréquentation de ce médecin me semblait l'avoir ragaillardie et comme tonifiée. Elle s'occupait à peine de moi et rêvait cependant de me faire épouser un aristocrate. Aux jeunes gens titrés qu'elle invitait, elle glissait dans l'oreille le chiffre de ma dot. Moi, je me fichais d'être comtesse ou marquise. Je vous l'ai dit : comme une sainte idiote, j'attendais l'amour! Et quand un de ces garçons me serrait de trop près, je lui confiais que j'avais un amant. Je me souviens que l'un d'entre eux, parmi les plus assidus, m'avait répondu qu'il s'en moquait. Et moi de répliquer que je tenais beaucoup à cet amant et qu'après notre mariage, il devrait nécessairement composer avec lui. Mon petit bonhomme, alors, a renâclé. Mais tout juste. Il parlait encore de réfléchir! Peut-être qu'en doublant la dot, qui sait s'il n'aurait pas cédé! Ensuite, mon futur mari est arrivé, candidat préféré de mon père pour des raisons, là encore, de commodités financières. Regardez-moi cette tête!

Sur la photo, elle figurait en robe de mariée, malicieuse et fraîche, à côté d'un garçon maigre, à la bouche mince, au regard décidé.

— Un romantique! A ceci près qu'au lieu d'un poème d'amour, il pouvait, à n'importe quel moment, vous réciter les cours de la Bourse et remplacer le clair de lune par la hausse du caoutchouc!

Elle soupira, dit encore :

— N'est-ce pas votre Rimbaud qui se demandait quand disparaîtrait « le servage infini de la femme »?

A quatre heures, Hélène la quitta pour sa leçon d'anglais à Mario. Mario revenait de l'école à quatre heures et demie. Elle se souvint de ses propres retours. On lui fixait un itinéraire à suivre après la classe, et sa mère contrôlait la durée du trajet. Il arrivait qu'Hélène, en marchant plus vite, empruntât certains soirs la berge de la rivière, attirée par cet espace et le sentiment de liberté suggéré par le courant sur les cailloux. C'était là de singuliers moments, partagés entre le bonheur et l'appréhension. Ainsi, par cette après midi vénitienne Hélène, dans l'attente de Lassner, retrouvait elle un sentiment de plaisir mêlé à la peur d'entendre derrière elle un certain pas.

Mario était déjà rentré quand elle arriva. Le chat Cassius dormait en rond près de la cuisinière, sous une portée de draps qu'Adalgisa avait mis à sécher et qui, dans la violente lumière du lustre, rayonnaient comme des voiles au soleil.

5

Dès son arrivée à Milan, Lassner commença par récupérer sa voiture au garage. Il s'entretint ensuite à l'Agence avec Ercole Fiore au sujet de son séjour libanais et des documents qu'il en rapportait : rues ravagées de Beyrouth, cadavres dans les ruines, camps palestiniens, villages détruits...

— La moisson du malheur, dit Fiore qui demanda : Comment cela évolue-t-il, là-bas?

— On continue à s'entre-tuer. Et ça risque de durer.

— Ici aussi, ça risque de durer, dit Fiore.

Le téléphone. Il s'impatienta :

— Tout à l'heure! Les hommes ont peur, poursuivit-il. Peur de tout : de la maladie, de la guerre atomique, du terrorisme... Ils aspirent à la sécurité et à la stabilité. Ils veulent des assurances contre tous les risques. Certains rêvent d'un paradis où ils seraient enfin tranquilles alors que l'angoisse, c'est bien connu, rend plus intelligent. Nos Italiens, par exemple, n'ont jamais été aussi intelligents depuis les Borgia. La pensée que tout, pour eux, peut se jouer sur une voiture piégée près du trottoir, ou une bombe dans une banque ou un grand magasin, leur donne de l'esprit.

Lassner trouva cet humour un peu forcé.

— Allons donc! s'écria Fiore. La plupart des gens ne savent que faire de leur vie. Souvent, ils ne savent même pas qu'ils sont vivants. La présence du danger leur donne enfin conscience qu'ils existent. Mais, j'y pense, il y a Noro...

Ce coq-à-l'âne alerta Lassner.

— Quoi : Noro?

Encore le téléphone. Décidément...

— Entendu, mais tout à l'heure, dit Fiore, et de raccrocher. (Puis, à Lassner :) Noro m'a parlé hier à ton sujet. Je lui ai dit que tu rentrais aujourd'hui. Il veut te voir sans faute.

— Encore l'affaire Scabia.

— Ça me semble évident... Sais-tu qu'il est menacé? Appels et lettres anonymes lui promettent un enterrement de première classe.

— Selon ta théorie, voilà qui va augmenter son agilité d'esprit?

— Il vient d'expédier sa femme et sa fille en province. Lui s'est logé dans un petit appartement près de la préfecture. Deux gardes du corps veillent sur sa personne. Les autres, cependant, lui prouvent de temps en temps qu'ils le surveillent de près.

— Quels autres?

— Sais pas. Peut-être te le dira-t-il lui-même.

Avant de quitter l'Agence, Lassner téléphona chez Marthe, mais celle-ci lui apprit qu'Hélène était partie de bonne heure. Fallait-il lui transmettre un message? Elle enverrait Amalia. Non, non, rien d'urgent. Un signe affectueux. Et la confirmation qu'il rentrerait le soir même mais comme, dans l'après-midi, il avait quelques obligations, il ne pouvait préciser l'heure.

A l'autre extrémité du fil, Marthe minauda, dit qu'Hélène était si heureuse de son retour, toute transformée, etc. Collante, la vieille dame.

Avant de rejoindre Noro, il déjeuna rapidement au buffet de la gare et passa chez lui. Tout de suite, il découvrit qu'en son absence on était entré dans son studio, laissé à son habitude simplement fermé au loquet. Rien n'avait été emporté. D'ailleurs, il n'y avait rien d'important à voler. Toutefois, l'ordre des livres sur une triple étagère, il en avait la certitude, était perturbé. De plus, on avait négligé de pousser à fond un tiroir qui forçait dans ses rainures et d'effacer des traces de pas sur le carrelage, dans la salle de bains.

Il prit une douche, compléta sa toilette qu'il avait faite hâtivement le matin, de bonne heure, dans son hôtel de Rome avant de filer à l'aéroport. A la fin, une serviette autour des reins, il retourna dans le studio, resta un moment à regarder l'armoire étroite — et à peu près vide —, le lit et sa couverture fanée, la table nue et les quelques agrandissements photographiques fixés au mur. Tout cela banal au possible. En général, il se souciait peu du décor dans lequel il vivait, et en voyage s'accommodait des chambres d'hôtel les plus nues, les plus anonymes.

Les mains sur les hanches, il se tint au milieu de la pièce immobile, convaincu que cette dernière intrusion n'avait pas le caractère anodin des précédentes. Puis il s'avança jusqu'à la fenêtre. En bas, brouillée par le rideau, l'avenue. Et, au carrefour, les feux de signalisation, les arrêts, les glissements disciplinés des voitures. Toute une ville grouillante, bruyante, avec ses millions de vies... Et lui, séparé, isolé par cette sensation de dépendance à l'égard d'une fatalité au-delà de l'humain. Il se souvint d'avoir lu le témoignage d'un soldat de 14, rescapé des exécutions pour l'exemple et qui avait attendu, pendant que l'officier comptait les hommes un à un, faisait sortir du rang le dixième, que cette folie s'abattît sur lui ou l'épargnât. Ce n'était pas la peur qui tenait Lassner, mais la conscience d'un danger invisible, sournois, qu'on ne pouvait affronter à armes égales. Il retourna dans la salle de bains pour s'habiller, examina longuement les traces sur le carrelage, celles du fantôme qui, depuis quelques semaines, l'épiait avec des yeux de brume.

Il était temps de rejoindre Noro.

— Tu voulais me voir?

— C'est bien ça. Pardon de t'avoir fait attendre.

Au lieu de reprendre sa place derrière le bureau, Noro vint s'asseoir sur le bras d'un fauteuil, près de Lassner.

— Fiore m'a dit que tu rentrais aujourd'hui. J'ai voulu en profiter pour que nous causions.

Toujours sa voix de laryngite et, au milieu du visage, son nez en aubergine.

— Que nous causions de quoi? Tu t'intéresses vraiment aux Arabes?

— Je m'intéresse à toi.

— Au sujet de l'affaire Scabia?

— Dans un sens, oui.

— Qu'est-ce que ça veut dire, dans un sens?

— Écoute donc. Peut-être Fiore t'a-t-il mis au courant des menaces dont, depuis peu, je fais l'objet. Mes chefs tiennent à ce que je prenne des précautions. J'ai obtempéré, bien qu'il me paraisse ridicule qu'on m'incite en quelque sorte à regarder, chaque soir, sous mon lit. Mais, toi aussi, tu as reçu des lettres anonymes.

— Des lettres, non. Quelques appels téléphoniques. Et il me semble qu'on s'est récemment introduit chez moi.

— Il est donc certain qu'on veut également te faire peur, mais nos cas sont différents, si je puis dire.

— En quoi diffèrent-ils?

— Pour ma part, on veut que je mette une sourdine à mon enquête. Non qu'elle ait beaucoup progressé mais, figure-toi qu'après la petite séance, ici même, avec le jeune homme dont tu te souviens, nous avons pu repérer et surveiller ses amis. Et cela nous a... Bon. Nous tenons seulement l'extrémité d'un fil, oh fragile, mais, enfin, c'est déjà mieux que rien. Donc, on prend mon activité au sérieux, on s'en inquiète, d'où les menaces pour m'empêcher de poursuivre. Cela, au niveau supérieur des trafiquants de devises et des énormes intérêts qui sont en jeu. Pour toi, c'est autre chose.

— Faut-il s'en réjouir? dit Lassner en acceptant le petit cigare que Noro lui proposait.

Noro fit quelques pas dans la pièce, revint vers Lassner.

— Les activistes d'extrême-droite, manipulés par les braves gens dont je viens de te parler, sont des garçons qui se montent la tête entre eux. Même chose chez les rouges, d'ailleurs. Eux sont les Bons, les Purs, les Dépositaires de la Vérité. Contre les autres, ceux qui refusent de s'incliner ou de les suivre, pas de pitié. Leur Cause, une Cause toujours plus ou moins vaseuse, prime tout et interdit les sentiments. Et toi, somme toute, tu as enfreint la Règle, tu as collaboré avec l'ennemi en prenant fait et cause pour Scabia. Tu n'aurais pas dû t'en mêler. Tu devais t'en tenir à une sorte de complicité objective. Et donc te taire, t'aplatir. Ton comportement, avec tes photos, tes interviews, qui condamnaient leur action, est un défi intolérable qu'il est, à leurs yeux, nécessaire de punir. Et pour eux, punir c'est tuer.

— J'ai dit ce que j'avais à dire et que je pensais.

— Et c'est précisément pour cette prétention à dire ce qu'ils pensent que tant de journalistes leur servent de cible.

Voluptueusement, la tête renversée, Noro téta son cigare et en rejeta la fumée.

— Dans le passé, reprit-il, on utilisait l'huile de ricin et la matraque. Purges et bastonnades sont passées de mode. Seule, aujourd'hui, est considérée comme purifiante la balle ou la grenade. Tiens-toi-le pour dit.

— Merci du tuyau.

— Je t'ai fait venir pour ça. A présent, écoute aussi ce conseil : ne t'attarde pas à Milan.

— C'est réellement si urgent?

— Mes indicateurs sont sûrs.

Un peu sceptique (ces policiers ont l'habitude d'exagérer les choses), Lassner, de sa main brûlée, écrasa son cigare dans une coupelle, boutonna son trench-coat, en boucla soigneusement la ceinture. Dans sa tête, la sensation d'un pendule qui oscillait. Il se rappela le

Nicaragua. Des soldats gouvernementaux allaient fusiller un sandiniste, un homme de son âge, torse nu, le dos contre un arbre. Traversant le feuillage, le soleil criblait tout son corps de petites taches lumineuses. Pendant que le peloton se préparait, il regardait intensément Lassner et jusqu'au bout ce regard ne l'avait pas quitté.

Il se leva.

— J'ai vu beaucoup mourir, dit-il d'un ton las.

— Tous les morts se ressemblent. Ne reste pas à Milan.

Lassner cherchait son chapeau.

— Quand j'étais en Amérique du Sud, dit-il encore et déjà près du seuil, j'ai entendu parler des safaris humains. Des chasseurs blancs traquaient les Indiens comme du gibier dans les forêts du Paraguay et du Brésil.

— Gibier est le mot juste, dit Noro en lui tendant la main. Toi et moi, nous voilà Indiens.

6

Retenu à Marghera bien au-delà du délai qu'il avait supposé, André, de retour à Venise, apprit à l'hôtel qu'il venait de manquer un appel téléphonique de Lyon. Toutefois, on lui avait fixé rendez-vous à six heures.

Il passa dans le bar. Chattaway, qui s'y trouvait déjà, en compagnie d'une jeune femme blonde, l'invita à se joindre à eux. La jeune femme se prénommait Anita. Elle devait avoir la trentaine, et se tenait, les jambes croisées sur le haut tabouret, ses fesses joliment arrondies sur le siège par le poids de son propre corps. Elle fumait, et chaque fois qu'elle tapotait sa cigarette au-dessus du cendrier, ses bracelets à breloques tintinnabulaient. Il la trouva gaie et agréable, avec ses yeux bleus, un peu trop bleus à son goût, et ses lèvres bien ourlées, fardées du même rose corail que ses pendentifs.

— Alors? Ce bateau?

Chattaway dit que tout s'était remarquablement passé. Très. Le personnel du chantier était épatant. Ces Italiens avaient un sens prodigieux de la mécanique. Après la remise à l'eau — sans histoire —, on avait procédé aux essais jusqu'à Torcello. Le bateau se trouvait à présent amarré dans le canal, juste derrière l'hôtel.

— Comme ça, demain, je pourrai directement embarquer mes bagages. Et, cap sur la Grèce.

Tous deux s'entretenaient en anglais. La jeune femme, qui ne comprenait pas leurs propos, continuait à fumer, la cigarette en l'air, le coude sur le comptoir. Parfois, elle buvait une très petite gorgée de son vermouth avec une délicatesse de chatte.

— Où avez-vous pêché cette fille? demanda André.

— Elle était là.

— Italienne?

— Je n'en sais rien. Slovène, il me semble.

Comme si elle avait deviné qu'ils parlaient d'elle, Anita tourna le visage vers eux et, d'une main, tapota sa chevelure avec une langueur affectée.

— Il me vient une idée, dit Chattaway à qui l'alcool donnait un air malin.

— Dites toujours.

— Nous pourrions inviter à dîner votre amie française, comment déjà? Miss Hélène? Elle n'était pas libre, hier soir, et paraissait pressée. Mais pour ce soir, qu'en pensez-vous?

André sourit. Une telle suggestion l'amusait. Hélène en compagnie d'une grue! Imaginer son air sage, réfléchi, en face de cette rouée!

— Peut-être un peu tard, dit-il. Et j'attends pour six heures un important coup de fil.

— Pas si tard que ça, mon vieux. Nous arrangerions une petite promenade nocturne à quatre, dans mon bateau, sur cette historique lagune. J'ai deux cabines chauffées, tout le confort. Le restaurant nous fournirait les repas. Pour les boissons, j'ai à bord ce qu'il faut. Vous voyez d'ici? Avec le champagne? Les bougies?

— Je vois...

— Et, à minuit, nous aborderions à San Michele! Le cimetière, les ténèbres, les gémissements du vent dans les cyprès, ce serait shakespearien! Nos belles amies apprécieraient. Les femmes, c'est connu, aiment le macabre.

— Et si le mauvais temps s'en mêle?

— Allons! En ce moment le baromètre est bon et l'eau est plate comme une piste de hockey sur glace. Et, pour naviguer, tenez compte que je suis retraité de la Royal Navy. Décidez-vous donc.

— Je vais voir, dit André, évasif.

En fait, le projet, il le savait, était irréalisable. Tourné à présent vers Anita, Chattaway s'entretenait avec elle dans son mauvais italien. Sans doute lui exposait-il cette fameuse idée qui, d'évidence, l'excitait beaucoup. Son crâne rasé semblait plus rose aux lumières, et des bourrelets gonflaient sa nuque.

Le téléphone intérieur sonna derrière le barman. Celui-ci écouta, se pencha ensuite vers André :

— Monsieur Merrest? On vous appelle. Lyon, à la cabine.

A son retour dans le bar, il trouva Chattaway et sa compagne installés à présent à une table. L'Anglais discourait toujours. De son côté, elle souriait, et ce n'était pas pure complaisance. Visiblement, il l'amusait.

— Eh bien? demanda Chattaway. C'est décidé?

— Je ne peux la joindre par téléphone. Il me faut aller chez elle. Ce n'est pas loin.

— Nous attendons ici même. Si c'est d'accord, appelez-moi, que je procède aux préparatifs.

André reprit son manteau au vestiaire. Il était conscient qu'il agissait par pure vanité, pour maintenir l'Anglais dans l'illusion qu'Hélène était toujours à lui, que son comportement de la veille était sans importance. Il avait dit lui-même qu'elle était un peu énervée. Mensonge inepte. Il se le reprochait et, dans le même temps, restait convaincu que, de toute manière, le désir de revoir Hélène l'aurait irrésistiblement jeté à sa recherche dans la nuit. Une nuit froide et immobile. L'Anglais avait raison. La surface de la lagune restait lisse, traversée de reflets qui tremblaient à peine. Plus haut, amarré devant un palais à un grand pieu peint en spirale de blanc et de rouge, un long canot à moteur qui brillait sous la clarté d'un lampadaire lui remit à l'esprit la proposition de Chattaway, surtout l'allusion aux deux cabines. Il évoqua le corps d'Hélène allongé sur l'étroite couchette, le désira avec une sorte de colère, l'imagina rebelle, se refusant à lui, et lui l'écrasant sous son poids, la... oui, la pénétrant de force, « ...pour que la postérité sache qu'elle est à toi par droit de conquête et que je consacre ta puissance sur elle comme celle d'un mari sur son épouse ». La formule du pape Alexandre III pour reconnaître au Doge sa maîtrise sur la mer lui revint en mémoire, non sans une certaine ironie à l'égard de lui-même. Où était sa propre puissance sur Hélène ? Et si elle avait dit vrai, si elle n'avait pas voulu le lanterner, son photographe ne tarderait pas. Et peut-être tous deux s'étaient-ils déjà rejoints. Toute la journée, à Marghera, il y avait pensé avec un goût de mort.

Il franchit le Rialto entre les boutiques fermées. Les palais sortaient de l'ombre, barrés de colonnes, moins pompeux qu'au jour, tous précédés de leurs pieux d'amarrage comme de farouches défenses. Il était mécontent de lui. Malgré ses résolutions, il n'avait pas su feindre auprès d'Hélène comme il l'aurait fallu. Mais adopter un comportement sentimental qu'il méprisait? Et pourquoi la supplier? Les femmes, il est vrai, aiment qu'on les supplie, qu'un homme leur donne la mesure de leur pouvoir sur lui. Il le croyait tout en admettant son incapacité à tenir le rôle, ô sottise, d'amant éperdu! Il enviait Chattaway. Il enviait ceux qui passent d'une femme à l'autre. Avec Hélène, il aurait dû parler comme elle l'espérait, comme sans doute son photographe l'avait fait, à grand renfort de « sirop ». Aurait dû lui dire qu'il ne pouvait se passer d'elle, ce qui, dans un sens, était vrai. Mais le formuler? l'avouer? De toute façon, il avait très mal engagé sa partie. Et celle-ci était compromise. Ou, mieux dit, perdue. Mais il ne se résignait pas tout à fait, la part la plus orgueilleuse de lui-même s'y refusait encore. Et penser qu'il avait à Paris une cour de femmes plus ou moins mariées qui n'attendaient qu'un signe de lui pour ouvrir leurs cuisses! Et lui qui n'avait de goût que pour cette fille! A crever de rire! Mais il ne riait pas. Se souvenait de Teresa, non sans un dépit un peu sec, dépit que la pensée d'Hélène l'eût poursuivi jusque dans ce lit, l'eût dévasté jusqu'à cette violence absurde.

La maison d'Hélène apparut au tournant, et il ralentit le pas en s'engageant dans la ruelle. Ses semelles claquaient sur les dalles bleuies par le lampadaire accroché haut. Pas une seule fenêtre éclairée, désert l'atelier. Penché sur le soupirail, il vit dans le noir, à l'emplacement de la cheminée, un point brasillant qui semblait le regarder comme un gros œil rouge.

La porte sur le corridor était encore ouverte. Peut-être, en partant, le menuisier avait-il oublié d'en boucler la serrure. Plus vraisemblablement, quelque gardien (il ignorait l'existence d'Adalgisa) ne tarderait pas à le faire. Donc, se méfier, ne pas se laisser surprendre.

Il grimpa jusqu'au premier étage.

Ouverte aussi la porte d'Hélène. Il n'avait eu qu'à en tourner le loquet. Cette maison béante, offerte à tout-venant, lui suggéra subitement l'idée qu'Hélène ne devait pas se trouver loin, peut-être chez des voisins. Il alluma. Dans la première pièce, des agrandissements photographiques étaient fixés aux cloisons tapissées d'oiseaux exotiques. D'autres s'entassaient sur une longue table. Ici, aucun portrait d'Hélène. Tout cela, sans intérêt. Seul signe qui retint un peu son attention : des fleurs en gros bouquet sur un guéridon. Il s'avança davantage, s'arrêta de nouveau pour écouter. Rien. Tout l'édifice paraissait posé au fond de la mer. Il pénétra dans la pièce suivante. Une chambre à coucher. Toute ornée. Toute prête pour l'amour. Là encore, des fleurs, des iris. Soigneusement tirés, des rideaux créaient une quiète atmosphère d'intimité. Sur le lit, s'étalait une robe de

259

chambre bleue, très légère, le bas de la jupe plié en une courte retombée, suggérant une forme féminine, les jambes pendantes, offerte là, sur les draps tout frais. Irrité, il saisit la robe, sentit la douceur de l'étoffe dans son poing, la jeta au hasard. Elle vola dans l'espace, vers la fenêtre, retomba. Mollement les rideaux ondulèrent jusqu'à donner l'impression d'une véritable présence. En deux enjambées, il fut sur eux, les écarta des deux mains, vit Venise, l'océan des toits en vagues immobiles, saisies, figées dans leur mouvement par quelque gel subit, comme les vraies vagues dans les mers boréales. Des lumières perçaient l'obscurité, chacune signalant des existences dont aucune ne ressentait, ne pouvait ressentir ce désir en lui de tuer, cette haine à goût de sang.

Il laissa tomber les rideaux, et la pensée lui vint qu'il devait effacer toute trace de son intrusion. Il ramassa la robe, la remit sur le lit, l'étala exactement comme il l'avait trouvée. A peine sorti de la chambre, il s'aperçut qu'il avait oublié d'éteindre, retourna, les nerfs à vif. Sur les murs (à son arrivée, il avait défilé devant elles sans s'y attarder), rien que des images fortes : policiers américains — casque à visière, bouclier et matraque — chargeant dans une avenue embrumée par les nappes lacrymogènes; maquisards à nez plat, avec, pour décor, un hérissement d'agaves en forme de sabres; cadavres de jeunes gens pliés sur les marches d'un édifice et, en arrière-plan, des petits soldats bruns en position d'affût derrière une rangée de palmiers impériaux. Le retint plus longuement la photo d'un homme, torse nu, mains liées contre un arbre, le regard tourné non pas vers les fusils mais vers l'objectif, avec une expression qui n'était ni d'angoisse ni de peur. Autre chose. A croire qu'il voulait échapper à son corps, s'évader de lui-même par le seul regard.

Dans la rue, la nuit toucha son front comme une main fraîche. Il pressa le pas pour sortir de ce quartier, abandonner au plus vite derrière lui un poids énorme de ressentiment.

Lorsqu'il franchit le pont, sa montre marquait un peu plus de sept heures. Sur le Grand Canal, un bateau-mouche glissait, tout éclairé, en direction de Saint-Marc. Que dirait-il à Chattaway? Et, bon Dieu! que lui importait Chattaway? Pourtant, il décida de tenir parole et de l'appeler.

Il se rendit au Central téléphonique, donna à un employé le numéro de l'hôtel, demanda le bar et ensuite l'Anglais, tout cela avec une impatience qui lui mettait du feu au creux de la poitrine. Lorsqu'il eut Chattaway au bout du fil, il s'efforça de lui parler du ton le plus naturel, mais sans parvenir à maîtriser vraiment sa voix :

— C'est moi, Merrest.

— Ah, mon cher Merrest! Alors? Quelles nouvelles de votre Hélène? Elle accepte? Elle se joint à notre petite fête?

Il avait dû continuer à boire, et il parlait avec une précipitation trop chaleureuse.

— Hélène est absente de chez elle et je ne sais où la trouver. Croyez que j'en suis désolé.

— Moi aussi, je suis désolé. Très.

— Bonne soirée à vous!
— Attendez, Merrest! Écoutez-moi! Pourquoi ne...
André était déjà sorti de la cabine.

7

Chez Adalgisa, dans l'après-midi, Hélène avait reçu la visite de Marthe. Lorsqu'elle était très émue, celle-ci paraissait manquer de souffle et parlait en aspirant l'air avec une sorte de petit ronflement de gorge. Au lieu d'envoyer Amalia, dit-elle, elle avait tenu à venir elle-même pour informer sa nièce qu'à midi environ, Lassner avait appelé de Milan. Il avait dit qu'il rentrerait tard le soir parce qu'il avait beaucoup à faire. Commentaire de Marthe :

— Hé, une si courte journée là-bas, après cette absence! Il faut comprendre!

Sur sa lancée, elle avait continué à parler, assise dans la vieille berceuse, sur le fond des draps tendus en oblique à travers la pièce. Elle portait un curieux petit chapeau de pluie, tout rond, à jugulaire, qui lui faisait un visage de vieux bébé. Hélène ne l'écoutait plus, ou l'écoutait mal. Elle aurait aimé que rien ne troublât en elle des nappes bienheureuses d'immobilité...

Plus tard, après la leçon à Mario, elle repassa du linge pour aider Adalgisa, ne pas rester inactive, ne pas subir la réalité de l'attente. Et lorsque Learco rentra — pas frileux du tout, rien qu'un mince imperméable en plastique par-dessus son bleu de travail —, on passa à table.

A la fin de la soirée, elle eut l'occasion d'assister à une scène savoureuse entre Learco et son fils à propos de Cassius. Celui-ci avait pissé sur la casquette de Learco, après l'avoir longuement traînée à terre et, outre le sacrilège, il y avait l'odeur, car pour dissimuler le forfait, Mario avait versé sur l'étoffe un parfum de sa mère. Or, la combinaison d'une généreuse urine de chat et d'une eau de Cologne bon marché produisait, à en croire Learco, une puanteur à suffoquer un ouvrier de la Veneta Concini, fût-il muni de son masque! Mario n'alla pas jusqu'à dire que les incontinences de Cassius sentaient la rose mais il accusa son père d'être de parti pris et par là même d'exagérer.

Vers neuf heures, Hélène voulut retourner chez elle. Au moment de se quitter, Adalgisa lui dit :

— Ne t'inquiète donc pas. Il a dû partir très tard.

— Et la route, renchérit Learco, est encombrée. Crois-moi il n'arrivera pas avant minuit.

Mais, une fois chez elle, Hélène ressentit une anxiété contre laquelle la raison ne pouvait rien. Dans sa chambre, allongée tout habillée sur le lit, elle s'efforça de lire. Parfois, dehors, un pas l'alertait. L'oreille à l'affût, elle l'écoutait qui approchait, de plus en plus sonore sur les dalles et, quand il s'éloignait sur le même rythme indifférent, son propre sang paraissait refluer, sortir doucement d'elle.

Elle se souvenait comment elle s'était ouverte au désir de Lassner et comment, dès le premier jour, ce désir avait merveilleusement exalté le sien. C'était

Lassner qui avait fait d'elle une femme, qui véritablement l'avait rendue à sa vraie nature qui était d'aimer et d'être heureuse d'aimer. C'était lui qui avait réveillé une ardeur à vivre assoupie en elle jusque là. Elle pensait à Lassner avec la vague illusion que cette pensée pouvait influer sur sa course dans ces redoutables profondeurs de la nuit.

Peu après onze heures, une sirène de cargo déchira de haut en bas le silence. Ensuite il y eut, de la même sirène, quatre ou cinq appels très brefs, comme des coups frappés contre son propre cœur. Frissonnante, Hélène se leva, passa dans l'autre pièce pour se poster derrière la fenêtre. Elle essuya la buée d'une des vitres, observa la portion de rue par où Lassner arriverait. Entre les façades aux persiennes tirées, elle formait un couloir baigné dans la faible lumière d'un lampadaire qui enténébrait les creux, écrasait les angles, suggérait un décor déshumanisé, une rupture avec le monde des vivants.

Vers une heure du matin, tout en fumant ses dernières cigarettes, elle fit les cent pas au milieu des agrandissements qui composaient sous ses yeux une suite violente. Tous les regards semblaient converger vers elle, la suivre pas à pas, y compris celui — bouleversant — d'un homme sur le point d'être fusillé, et un moment vint où elle en fut troublée, comme par une présence indéfinissable. Ce malaise, à la longue, se développa jusqu'à ce qu'elle en prît conscience et préférât regagner sa chambre. Là, épuisée, elle se laissa tomber dans un fauteuil, incapable de discipliner sa pensée, de dominer une véritable angoisse.

A dix heures, Lassner avait tout juste traversé Vérone, retardé par sa visite à Noro, l'après midi, et son retour à l'Agence pour diverses obligations et, surtout, une confuse histoire de matériel qu'il avait dû régler avant de partir. A la sortie de Milan, il s'était trouvé pris dans les encombrements des fins de journée. Plus tard, aux environs de Brescia, la pluie, une pluie en furieuses giclées, l'avait contraint à ralentir. Il n'avait pas dîné vraiment, s'était contenté d'un sandwich et d'un verre de bière dans un café de village alors que, déjà, un festival d'éclairs révélait de lourdes nuées au ras des collines et annonçait le prochain déluge.

Comme toujours, par temps humide, sa main brûlée, serrée sur le volant, lui paraissait criblée de coups d'épingles. (Toutes les voitures qu'il croisait avaient leurs feux dilués par l'air chargé de mouillure.) Et si Noro avait dit vrai? Semblait bien renseigné, le bougre! Et peut-être qu'en apprenant son départ dans la soirée, ce même Noro penserait — avec quel sourire! — qu'il lui avait fait peur. Que lui, Lassner, selon son conseil, fuyait vers Venise le ventre noué. Alors qu'en vérité, il courait rejoindre une femme! Certes, il en avait connu d'autres, mais jamais il n'en avait rencontré une qui éclairât sa vie comme Hélène en avait le pouvoir!

Après Vicence, déjà endormie, de nouveaux éclairs firent jaillir du néant un paysage d'arbres tout échevelés. La pensée de Lassner oscillait entre Hélène et Noro. Parmi les journalistes victimes d'attentats l'année précédente, il se rappela son ami Casalegno, de *la Stampa*. Pour la dernière fois, en octobre 77, il avait rencontré à Turin Carlo Casalegno, assassiné le mois suivant. Allait-il comme celui-ci, comme Noro, tant d'autres, changer de ūt chaque nuit? Se transformer en Indien de safari et courir de refuge en refuge avec une angoisse de bête traquée? (Gigantesque, un camion yougoslave le croisa dans des giclements d'eau, ses phares crevant l'obscurité.) Mais il y avait Hélène et si, réellement, il était menacé (après tout Noro avait peut-être dramatisé), il devrait éviter qu'à ses côtés elle courût le moindre risque. Qu'il l'aimât, il en avait une preuve plus profonde dans cette inquiétude pour elle, cette conviction qu'il lui devait plus que jamais toutes ses pensées. Kilomètre après kilomètre — Padoue rejetée à la nuit —, il se rapprochait d'elle, l'imaginait sous la tiédeur des lampes, rayonnante de cette tendresse qui apaisait en lui toute la douleur de vivre.

Mestre s'annonça par une lueur étirée sous un ciel tout morcelé, avec quelques étoiles échouées au fond des crevasses. Lassner aimait entendre Hélène lui parler de son enfance, de la maison carrelée de rouge, du jardin, de sa chambre sous le toit... Elle avait dû souffrir de quelque chose dont elle paraissait encore blessée et, comme beaucoup d'êtres trop souvent meurtris, elle manquait de confiance en elle. C'est ainsi, en évoquant Hélène, qu'il traversa Mestre, silencieuse, assoupie dans le taciturne poudroiement de ses lampadaires avec, au centre, de rares cafés encore ouverts.

Quelques voitures le croisèrent sur l'avenue qui conduit au pont de la Liberté, la chaussée qui relie Venise à la terre ferme. A droite et à gauche clignotaient des feux perdus dans la profonde obscurité de la lagune. D'autres voitures le doublaient et s'engouffraient dans l'air noir jusqu'à l'instant où il perçut dans son sillage une fracassante pétarade, jeta un coup d'œil à son rétroviseur, pensa qu'on voulait le dépasser. Sur le bandeau luminescent de Mestre, s'inscrivait en silhouette une puissante moto. Il fut surpris du singulier comportement de cet engin qui, à n'en pas douter, maintenait volontairement la distance avec lui. Derrière le conducteur, il distingua un passager porteur, lui aussi, d'un casque à visière de plexiglas. De ce bloc formé par la machine et les deux hommes, se dégageait une impression d'assurance, de virtuosité.

Lassner ralentit. Pour voir. Mais voir quoi? La moto elle aussi réduisit sa vitesse. Stupeur! Noro aurait-il dit vrai? Cela parut à Lassner invraisemblable. « Possible que ces deux types s'amusent. » Il n'était pas encore vraiment inquiet. Mais il observa plus attentivement le conducteur, masqué par le casque, le buste serré dans un blouson. Derrière lui, et tout aussi masqué, le passager gardait la tête inclinée à droite, à hauteur de l'épaule de son compagnon, comme s'il épiait

Lassner. Venant de Venise et du piazzale Roma, une voiture les croisa à toute allure, ensuite la chaussée resta vide. Dans cet instant précis, la moto accéléra et le passager laissa pendre un bras. Et à l'extrémité du bras... Bon Dieu! Avait-il mis du temps à comprendre? Lassner se rabattit à gauche pour interdire à l'autre de le dépasser, mais celui-ci zigzagua, se redressa, son phare balayant l'espace, se stabilisa comme au début, puis fonça à droite de Lassner qui refit la même manœuvre. Un camion arrivait en face, avec sa couronne de feux au sommet de la cabine. Lassner serra à droite et pour ne pas être coincée la moto ralentit, se laissa distancer et, ruse! se précipita à gauche. Lassner appuya du même côté, vit au-dessus de lui le visage affolé du camionneur, frôla le véhicule, se maintint cependant dans l'axe de la chaussée. Ce genre d'exercice allait-il durer jusqu'au piazzale? Un cul-de-sac, celui-ci, mais vaste — avec l'îlot du terminus au milieu, favorable pour manœuvrer, renverser son poursuivant. Comme par un phénomène télépathique, le conducteur de la moto parut avoir compris le dessein de Lassner et se rua, dans une pétarade assourdissante, vers l'espace à droite. Sans s'affoler Lassner, d'un coup d'accélérateur, relança sa voiture pour demeurer en tête, distingua fort bien l'autocar qui arrivait de Venise, le fit entrer dans son calcul, estima sa vitesse, la largeur du caisson, sûr cette fois d'obliger la moto à se jeter vers le remblai du chemin de fer sous peine d'être prise en sandwich. Trop sûr! car la moto — déception! — déjoua sa manœuvre, obliqua dans l'autre sens avec une stupéfiante habileté, se perdit en arrière, surgit à gauche, récupéra d'un coup tout le terrain concédé comme tirée par un sandow géant, vint, toujours aussi pétaradante, juste à hauteur de la portière, avec les têtes d'extra terrestres des deux tueurs casqués, l'arme du passager tenue au poing dans l'intervalle des deux corps, entre dos et poitrine. Lassner freina à mort, dérapa dans le crissement déchirant des pneus, tenta de redresser, « ma vie qui se joue! », sentit tout l'effort de la machine répercuté dans ses nerfs. La voiture revint d'elle même, autonome comme un robot fou; tout le ciel s'inversa, strié par les fils du chemin de fer. A cet instant, sur la voie, un train, ses fenêtres illuminées, défila à toute allure en direction de Mestre dans la trépidation forcenée de ses boggies. Monstrueux, l'autocar à dix mètres ne déviait pas, ses phares crachant le feu! Disparue la moto! De toute son énergie Lassner pesa sur le volant. Tout le convoi sur le remblai, sa file interminable de wagons, sautilla comme un film qui décroche. Au-dessus de lui, à une hauteur vertigineuse de gratte-ciel, l'autocar! La chaussée alors s'effondra sous Lassner qui, d'instinct, rejeta le buste en arrière, leva les poings dans l'instant même où sa tête éclatait.

8

De bonne heure, le lendemain matin, dans l'autobus de Mestre, Pagliero aperçut, le long des voies de chemin de fer, sur le pont de la Liberté, l'épave d'une voiture avec tout l'avant écrasé. Un camion-grue s'apprêtait à la dégager, encadré de carabiniers stoïques sous la pluie.

— Ça s'est passé hier soir, dit le voisin de Pagliero. C'est dans le journal.

Pagliero le lui emprunta, lut dans la rubrique de dernière heure quelques lignes qui — incroyable! — informaient que Lassner Ugo, pour une raison encore à déterminer, s'était jeté contre un autocar en provenance du piazzale Roma. Pas de victimes parmi les passagers, mais le conducteur de la voiture se trouvait dans un état grave à l'Hôpital civil.

Rien de plus. Un moment, il en resta atterré. Son voisin le regarda, tout surpris, mais ne dit rien.

En débarquant, un peu plus tard, du bateau-mouche, Pagliero se demanda si Hélène avait appris la nouvelle. Irait-il la voir tout de suite? Il préféra consulter d'abord Adalgisa et Learco. Ceux-ci n'étaient pas du tout informés et, finalement, Adalgisa, encore dans toute son émotion, s'offrit à monter chez Hélène.

Elle la trouva affreusement pâle et déjà tout habillée :

— Alors, tu l'as su? demanda-t-elle, et s'effraya de son expression.

Donc, elle ignorait tout, et Adalgisa se prit la tête entre les poings :

— Il y a eu un malheur! cria-t-elle, et des larmes lui vinrent aussitôt.

Hélène l'attira doucement plus près d'elle, en la prenant par le bras. Ses yeux ne cillaient plus, paraissaient tout secs, minéralisés.

— Il est mort? demanda-t-elle à voix basse.

— Il y a eu un accident sur le pont. On l'a transporté à l'hôpital. C'est Pagliero qui nous l'a dit. Learco va aussi t'accompagner.

Hélène insista :

— Tu ne m'as pas répondu. Il est mort, n'est-ce pas?

— Le journal dit qu'il a été blessé. Gravement blessé.

Et elle se remit à pleurer.

— Viens, dit Hélène avec la même douceur.

Elles rejoignirent les deux hommes.

Sous la pluie, devant l'église Ss Giovanni e Paolo, le Colleone, sur son cheval, défiait le monde. Bordé par un canal, le bâtiment de l'Hôpital civil s'ornait, au-dessus de l'entrée, du lion ailé.

Hélène, Learco et Pagliero pénétrèrent dans le vaste hall de l'ancienne Scuola San Marco. Pagliero alla s'informer auprès des portiers. Il revint en disant :

— Nous serons mieux renseignés là-bas.

Là-bas, c'était un bureau d'accueil, non loin d'un

ancien cloître avec quelques feuillages et un puits au milieu. On leur dit d'attendre. Quelqu'un allait venir. Ce fut une jeune infirmière qui leur parla dans la galerie, tandis que la pluie battait la verrière. Lassner se trouvait au service de traumatologie. Souffrait d'un traumatisme crânien et de fractures diverses. Le médecin qui le soignait, docteur Collieri, arriverait vers neuf heures. Elle ne pouvait en dire davantage. C'était presque une adolescente, mince dans sa blouse blanche, avec de bonnes joues roses.

Ces indications, pour Hélène, ne signifiaient rien de sûr, mais elle remercia la jeune femme et retourna, avec Learco et Pagliero, s'asseoir dans la salle d'attente. Learco lui dit qu'il ne fallait pas imaginer le pire, puis il se tut, conscient que, dans les occasions de ce genre, on ne sortait le plus souvent que des banalités. De son côté, Hélène admettait que l'homme qui, en ce moment même, luttait peut-être contre la mort (elle ne savait comment interpréter ce qu'avait rapporté l'infirmière) était son unique justification de vivre, et se désespérait de ne pouvoir elle-même contribuer, d'une manière ou d'une autre, à le sauver. Jusqu'au plus profond de son être, elle éprouvait le sentiment de son impuissance, de son inutilité, et envia ceux qui savaient prier, qui pouvaient apaiser leur douleur dans un espoir que sa raison avait toujours nié.

Au fur et à mesure que le temps s'écoulait, dans la monotone rumeur de la pluie, elle se sentait de plus en plus enfermée en elle-même; plus rien n'existait que cette attente, et toute son intelligence errait dans un désert mental que créait sa propre angoisse.

A la même heure, André était descendu rejoindre Chattaway dans le restaurant de l'hôtel. Le matin, lorsqu'il avait téléphoné à l'Anglais pour s'excuser au sujet de son comportement de la veille, l'autre, bon type, lui avait répliqué :

— Dommage pour vous, mon cher. La belle Anita avait une amie. Je ne peux pas dire si celle-ci pouvait avantageusement remplacer Miss Hélène, mais vous en auriez tout de même tiré des satisfactions.

Là-dessus, ils avaient décidé de consommer ensemble le petit déjeuner avant que Chattaway reprît la mer. Et lui, André, était décidé à quitter Venise le soir même, convaincu qu'il avait, dans ce photographe, comment déjà? Lassner, un adversaire (il préférait ce mot à celui de rival) contre lequel il ne pouvait rien. Du moins pour le moment car, un jour, pas si éloigné peut-être, qui sait s'il ne la reverrait pas, de nouveau seule, à Paris. Et dans ce cas... Un violent ressentiment lui revint, mêlé à une rancœur contre lui-même. Avait-il été confiant? Et stupide? Incroyable qu'un homme comme lui, réputé perspicace (parlons-en!), n'eût pas un instant pensé qu'une aussi longue séparation (et elle, libre dans une ville étrangère) pouvait aboutir à ce résultat. Certes, il y avait eu Yvonne, Yvonne qu'il ne pouvait quitter, qu'il avait dû ménager, une Yvonne immobile et sans regard dans cette évocation, et plus lointaine en lui que si elle était morte depuis vingt ans.

En l'attendant au restaurant, Chattaway avait commandé un petit festin, son transistor allumé près de lui, sur la table, pour capter — en sourdine — les renseignements météorologiques destinés aux gens de mer.

— Vous avez eu tort, hier soir, cher Merrest, il faisait bon sur la lagune.

— Et San Michele?

— Pas question. Au bout de cinq minutes, la belle enfant tremblait d'épouvante et claquait des dents. Je l'ai ramenée à l'hôtel. Au lit, une grande artiste, mon cher. Des initiatives somptueuses! Et elle m'a juré que l'amie qu'elle proposait pour vous était tout aussi experte.

— Je regrette, dit André.

Simple formule. Au vrai, il ne regrettait rien. Hélène continuait à vivre en lui. Et, ce soir-là, après la visite dans sa chambre, les relations avec toute autre femme eussent risqué de tourner comme avec Teresa.

— On rencontre des filles douées dans tous les ports, n'est-ce pas? poursuivait Chattaway, mais, depuis les Hawaï, croyez moi, je n'avais encore jamais rien savouré de si capiteux. Pas Slovène, d'ailleurs. De Linz, sur le Danube. Un corps superbe! Des seins! Je l'ai photographiée en de multiples poses et dans le plus simple appareil. Bonne fille. Et gaie. Le champagne y était pour une part mais aussi l'escale — même brève — à l'île cimetière. Réaction métaphysique, en quelque sorte. Et vous, qu'est ce que vous avez fait de votre soirée?

Il ne laissa pas à André le temps de répondre, leva un index impérieux : la radio annonçait le bulletin météo à la fin d'une série d'informations régionales. André s'en désintéressa, le nez dans son assiette, mais soudain prêta l'oreille : un accident était survenu, dans la nuit, à l'entrée de Venise. Un nommé Lassner Ugo. Sur le pont de la Liberté, sa voiture était entrée en collision avec un autocar. Lui, seul blessé. Transporté dans un état critique à l'Hôpital civil. Pronostic réservé. On précisait qu'il était photographe de presse et qu'il venait tout juste de rentrer d'un reportage au Proche-Orient.

La voix séduisante de la speakerine — elle devait être jeune et jolie — poursuivit son discours qu'il n'écouta plus, tout son esprit concentré sur cette nouvelle et sur ce qu'il pouvait tout de suite en déduire. En face de lui, Chattaway buvait son thé, indifférent, une indifférence qui d'abord choqua légèrement André, mais, au vrai, pourquoi aurait-il été touché par ce fait divers? Lui, André, lui seul en percevait le sens de destin. Une autre voix, masculine celle-là, donnait à présent des informations sur le mouvement des navires dans le port. Le tanker panamien *Galatea*... Le vapeur grec *Adelphi*... Tout cela appartenait à un autre monde. La météo ensuite, que Chattaway écouta avec une extrême attention. Et à la fin :

— L'Adriatique, mon cher Merrest, il faut s'en méfier. Toute douceur, tout sourire et puis, d'un coup, vous ne la reconnaissez plus.

Ils se séparèrent. Au début, André avait eu le dessein d'accompagner l'Anglais jusqu'à son bateau. Il y renonça, pressé de retourner dans sa chambre, de réfléchir à la situation nouvelle que créerait pour Hélène l'éventuelle disparition de son ami.

Dans le hall, il consulta quelques quotidiens mais, sur l'accident, ils en disaient moins que la radio, rien qu'une courte dépêche d'agence en dernière minute. Une nuance, à laquelle cependant il s'arrêta : la radio avait parlé d'état critique quand la presse — mais la nouvelle, d'évidence, lui était parvenue trop tard — disait : état grave. Cette formule-ci, d'ailleurs, pouvant signifier n'importe quoi.

Il prit l'ascenseur, regagna rapidement sa chambre.

Le matin, déjà, il avait commencé à préparer ses bagages. Mais peut-être devait-il annuler son billet pour le train de nuit? Donc prévenir son correspondant de Lyon? Son esprit redevenait froid et méthodique. Il calcula qu'il pouvait différer son départ de trente-six heures. A la rigueur, de deux jours en informant aussi Paris. Pour résoudre ce problème, il lui fallait également consulter des documents. Il s'assit devant la table, près de la fenêtre, avec la pluie qui crépitait comme du gravier contre les vitres, mais toute sa pensée louvoyait entre des îlots noirs. Si ce garçon mourait, aurait-il, lui, André, une chance de récupérer Hélène? A coup sûr, elle serait profondément affectée. Peut-être, malgré tout, représenterait-il alors pour elle un secours? un appui? Peut-être abandonnerait-elle plus volontiers une ville où ce malheur l'avait frappée? A raisonner ainsi, à sec, sans y mêler la moindre dose de sensibilité, il se sentait redevenir lui-même, n'ayant jamais accordé à la mort, la sienne comme celle des autres, ce sentiment d'horreur et de mystère dont on la surchargeait. Rien n'était encore joué. Il avait cru perdre Hélène, mais, à présent, qui pouvait dire? Bon. Concrètement, que fallait-il envisager? Téléphoner à l'hôpital? Le mieux était de s'y rendre. Hélène devait déjà s'y trouver.

9

— Si vous avez à faire, n'attendez plus, je vous en prie, dit Hélène à ses compagnons. (A dix heures, en effet, le docteur Collieri, arrivé depuis longtemps, n'avait pas rejoint son bureau.)

Learco et Pagliero se récrièrent. Allons donc! Ils attendraient avec elle! Pas de problème pour Pagliero et, avant de la quitter, Learco avait chargé Adalgisa d'informer un camarade d'usine.

Comme, à présent, d'autres personnes occupaient aussi la salle d'attente, les deux hommes sortirent pour fumer sous la galerie, appuyés à la murette en bordure de l'ancien cloître. Il ne pleuvait plus. Dans le couloir voisin, un chat errait en roulant les épaules.

Jamais Hélène n'avait pensé à la mort comme aujourd'hui, convaincue que le plus grand malheur peut-être est de survivre à ceux qu'on aime. Plus le temps passait et plus s'approfondissait l'impression que son âme se détachait d'elle. Elle se sentait toute sèche en dedans à ne pouvoir pleurer, comme le faisait silencieusement une vieille femme, non loin d'elle, les traits figés, les mains à plat sur les cuisses sans même songer à s'essuyer les yeux, et sur ce visage inexpressif ces larmes composaient une poignante image de la douleur humaine.

Vers dix heures et demie, la jeune infirmière reparut. Toujours son air sérieux, son regard de gravité. Elle fit signe à Hélène, lui dit :

— Le docteur va vous recevoir. Venez.

Hélène la suivit, certaine que tout allait se jouer dans ces quelques minutes.

En blouse blanche, lui aussi, le docteur Collieri l'accueillit dans son bureau, la fit asseoir. Il était de bonne taille, brun avec des cheveux ébouriffés.

— Madame Morel, n'est-ce pas? (Il parlait en français. d'un ton un peu saccadé.) Bon. M. Lassner souffre d'un traumatisme crânien. Électro encéphalogramme perturbé. Classique. Fond d'œil normal. Rien à dire non plus. Il a aussi une fracture du bras gauche. Pas belle. Enfin. Des côtes cassées. D'où épanchement pleural. Et une blessure assez laide à la hanche, provoquée. je pense, par une pointe de tôle. Il a perdu du sang. Beaucoup. Enfin. Tout cela, possible à réparer. Ç'aurait pu être pire.

— Je peux le voir?

— Madame, il lui faut du calme, du repos. Pas d'agitation. Pas d'émotion. Il respire mal, l'incidence pleurale, n'est-ce pas? Enfin.

— Quand me sera-t-il possible de lui parler?

— Demain soir. Seulement demain soir. Laissez-nous faire. Il n'est pas en morceaux mais, comprenez.

Elle le regardait avec une reconnaissance éperdue, et à présent, oui, des larmes lui venaient, et une chaleur rayonnait en elle.

Le médecin la reconduisit jusqu'à l'entrée. Elle savait l'essentiel. L'essentiel était que Lassner vivrait. D'émotion elle ne pouvait plus parler, son cœur battait vite, desserrait son angoisse, et elle sentait son amour peser merveilleusement en elle comme si elle avait porté un enfant. Cependant, à l'instant où le docteur Collieri tirait déjà sur le loquet, elle lui demanda :

— Excusez-moi, mais j'ignore les circonstances exactes de l'accident. Je sais seulement le peu que la presse en a dit.

— Oh un accident incroyable, madame. Avant le dérapage, le chauffeur de l'autocar a vu M. Lassner manœuvrer de façon bizarre comme pour empêcher une grosse moto de le doubler. Toutefois, un des voyageurs, placé lui-même à l'avant, a confié aux carabiniers que le comportement de la moto en question n'avait pas été non plus très normal. Mais la nuit, vous savez! Enfin.

— Que pensent les enquêteurs?

— Je ne saurais vous dire. Sans doute attendent-ils de pouvoir interroger le blessé. Et j'imagine qu'ils aimeraient bien retrouver aussi les deux motards.

Dans le couloir, tout de suite après avoir quitté le docteur Collieri, le sens de cette poursuite apparut d'un coup à Hélène, créa dans son esprit l'image d'une femme folle, les cheveux dénoués, occupée à courir sans repos à travers une succession de salles. Elle n'en doutait pas, on avait bel et bien tenté de renverser Lassner, de le tuer. Une telle pensée lui glaça le sang au point qu'elle dut ralentir. Rien n'était donc gagné.

Ce n'était peut-être qu'un sursis. Pourquoi écarter l'idée qu'on recommencerait? « On », dans son esprit, désignait moins un groupe d'individus qu'un malheur en marche vers Lassner, un malheur au regard terrible comme celui de l'inconnu, sur l'agrandissement photographique, ce regard qui l'avait toujours hantée. (Elle se souvint que, pour légende à cette photo, Lassner avait choisi un vers de Cesare Pavese : « La mort viendra et elle aura tes yeux... ») Tout cela, aussi révoltant pour l'intelligence que si le docteur Collieri lui avait révélé la découverte chez Lassner de quelque maladie inexorable.

En débouchant du couloir, lorsqu'elle aperçut les feuillages du cloître, elle s'efforça de dominer son désarroi, d'empêcher quelque débâcle de ses nerfs. Déjà, Learco et Pagliero, qui la guettaient, venaient à sa rencontre. Elle décida de leur rapporter seulement l'état de Lassner, sans rien évoquer de l'accident. Pas tout de suite. Pas maintenant. Pour leur en parler, elle attendrait que se calmât en elle cet effroi qui lui faisait trembler le cœur.

En face de l'hôpital, de l'autre côté du canal, le café s'appelait *Il Cavallo,* le Cheval. Admiration pour la monture ou dédain pour le cavalier? André s'en amusa. Debout devant le comptoir, près de l'entrée, pour surveiller la place, André imaginait Hélène derrière ces murs. Au dernier moment, un scrupule l'avait retenu de pénétrer dans l'hôpital pour s'y renseigner. Mieux valait patienter, attendre qu'Hélène fût sortie. Plus

simple, alors, d'ajuster au sien son propre comporte
ment. Mais cette attente était une épreuve, entouré
comme il l'était de consommateurs bruyants, sans
compter une radio qui ne cessait de débiter des inepties.

Il jeta un billet sur le comptoir, partit en négligeant
sa monnaie. Dehors, il apprécia la fraîcheur de l'air.
Leurs voiles noirs gonflés de vent, trois religieuses
marchaient de front vers l'église. Après leur passage, la
place resta déserte, dans cette clarté blafarde d'après
la pluie, avec le Colleone, là haut, sur son socle, un
pigeon sur l'épaule. André se dirigea vers le pont.

Appuyé au parapet, il resta un moment à fumer en
regardant une barque sur le canal, chargée de légumes
et de fruits. Elle s'arrêta sous une fenêtre d'où une
femme, au bout d'une longue ficelle, fit descendre un
panier. Cette petite scène, entre le marchand rigolard
et la femme délurée, le retint juste assez pour qu'il
manquât la sortie d'Hélène. Lorsqu'il tourna la tête, il
la découvrit qui, déjà, s'était engagée sur le terre-
plein. Pas seule! Qu'elle eût des amis pour l'accompagner, l'idée ne lui en était même pas venue. Pas question
de l'aborder. Et à quoi bon? Elle s'avançait, serrée
dans son imperméable, et si son visage était fermé, du
moins ne portait-il aucun signe de détresse ou d'afflic-
tion. Lassner allait s'en tirer. Il suffisait d'observer
également les deux hommes, tout bleus, qui encadraient
Hélène, leur expression sérieuse mais détendue.

Au vrai, par bonds nerveux, sa pensée se séparait
rapidement de Lassner. Toujours appuyé au parapet,
à l'entrée du pont, il suivait Hélène des yeux tandis qu'elle
traversait la place, le front haut, belle, la taille, les
jambes admirables... L'avait-elle aperçu? Il en eut la

conviction mais, sur l'autre rive du canal, elle passa sans daigner le regarder.

Peu après que le groupe eut disparu, les cloches de l'église se mirent à sonner. Leur appel ricocha sur les toits, martela tout l'espace aérien. André consulta sa montre. Avant de rejoindre la gare, il calcula qu'il devait vivre huit heures encore à Venise, la ville au monde qu'il haïssait le plus.

Venise, janvier 1979,
Boulogne sur Seine, octobre 1980.

Table

1. Hélène   7

2. Lassner   67

3. André   129

4. Pont de la Liberté   209

IMP. BUSSIÈRE À SAINT-AMAND (CHER).
D.L. 4e TRIM. 1982. No 6282 (1788).

Collection Points

SÉRIE ROMAN

R1. Le Tambour, *par Günter Grass*
R2. Le Dernier des Justes, *par André Schwarz-Bart*
R3. Le Guépard, *par G. T. di Lampedusa*
R4. La Côte sauvage, *par Jean-René Huguenin*
R5. Acid Test, *par Tom Wolfe*
R6. Je vivrai l'amour des autres, *par Jean Cayrol*
R7. Les Cahiers de Malte Laurids Brigge
    par Rainer Maria Rilke
R8. Moha le fou, Moha le sage, *par Tahar Ben Jelloun*
R9. L'Horloger du Cherche-Midi, *par Luc Estang*
R10. Le Baron perché, *par Italo Calvino*
R11. Les Bienheureux de La Désolation, *par Hervé Bazin*
R12. Salut Galarneau !, *par Jacques Godbout*
R13. Cela s'appelle l'aurore, *par Emmanuel Roblès*
R14. Les Désarrois de l'élève Törless, *par Robert Musil*
R15. Pluie et Vent sur Télumée Miracle
    par Simone Schwarz-Bart
R16. La Traque, *par Herbert Lieberman*
R17. L'Imprécateur, *par René-Victor Pilhes*
R18. Cent Ans de solitude, *par Gabriel Garcia Marquez*
R19. Moi d'abord, *par Katherine Pancol*
R20. Un jour, *par Maurice Genevoix*
R21. Un pas d'homme, *par Marie Susini*
R22. La Grimace, *par Heinrich Böll*
R23. L'Age du tendre, *par Marie Chaix*
R24. Une tempête, *par Aimé Césaire*
R25. Moustiques, *par William Faulkner*
R26. La Fantaisie du voyageur, *par François-Régis Bastide*
R27. Le Turbot, *par Günter Grass*
R28. Le Parc, *par Philippe Sollers*
R29. Ti Jean L'horizon, *par Simone Schwarz-Bart*
R30. Affaires étrangères, *par Jean-Marc Roberts*
R31. Nedjma, *par Kateb Yacine*
R32. Le Vertige, *par Evguénia Guinzbourg*
R33. La Motte rouge, *par Maurice Genevoix*
R34. Les Buddenbrook, *par Thomas Mann*
R35. Grand Reportage, *par Michèle Manceaux*
R36. Isaac le mystérieux (Le ver et le solitaire)
    par Jerome Charyn

R37. Le Passage, *par Jean Reverzy*
R38. Chesapeake, *par James A. Michener*
R39. Le Testament d'un poète juif assassiné
      par Élie Wiesel
R40. Candido, *par Leonardo Sciascia*
R41. Le Voyage à Paimpol, *par Dorothée Letessier*
R42. L'Honneur perdu de Katharina Blum
      par Heinrich Böll
R43. Le Pays sous l'écorce, *par Jacques Lacarrière*
R44. Le Monde selon Garp, *par John Irving*
R45. Les Trois Jours du cavalier, *par Nicole Ciravégna*
R46. Nécropolis, *par Herbert Lieberman*
R47. Fort Saganne, *par Louis Gardel*
R48. La Ligne 12, *par Raymond Jean*
R49. Les Années de chien, *par Günter Grass*
R50. La Réclusion solitaire, *par Tahar Ben Jelloun*
R51. Senilità, *par Italo Svevo*
R52. Trente mille jours, *par Maurice Genevoix*
R53. Cabinet portrait, *par Jean-Luc Benoziglio*
R54. Saison violente, *par Emmanuel Roblès*
R55. Une comédie française, *par Erik Orsenna*
R56. Le Pain nu, *par Mohamed Choukri*
R57. Sarah et le Lieutenant français, *par John Fowles*
R58. Le Dernier Viking, *par Patrick Grainville*
R59. La Mort de la phalène, *par Virginia Woolf*
R60. L'Homme sans qualités, tome 1, *par Robert Musil*
R61. L'Homme sans qualités, tome 2, *par Robert Musil*
R62. L'Enfant de la mer de Chine, *par Didier Decoin*
R63. Le Professeur et la Sirène
      par Giuseppe Tomasi di Lampedusa
R64. Le Grand Hiver, *par Ismaïl Kadaré*
R65. Le Cœur du voyage, *par Pierre Moustiers*
R66. Le Tunnel, *par Ernesto Sabato*
R67. Kamouraska, *par Anne Hébert*
R68. Machenka, *par Vladimir Nabokov*
R69. Le Fils du pauvre, *par Mouloud Feraoun*
R70. Cités à la dérive, *par Stratis Tsirkas*
R71. Place des Angoisses, *par Jean Reverzy*
R72. Le Dernier Chasseur, *par Charles Fox*
R73. Pourquoi pas Venise, *par Michèle Manceaux*
R74. Portrait de groupe avec dame, *par Heinrich Böll*
R75. Lunes de fiel, *par Pascal Bruckner*
R76. Le Canard de bois (Les Fils de la Liberté, I)
      par Louis Caron

R77. Jubilee, *par Margaret Walker*
R78. Le Médecin de Cordoue, *par Herbert Le Porrier*
R79. Givre et Sang, *par John Cowper Powys*
R80. La Barbare, *par Katherine Pancol*
R81. Si par une nuit d'hiver un voyageur
      par Italo Calvino
R82. Gerardo Laïn, *par Michel del Castillo*
R83. Un amour infini, *par Scott Spencer*
R84. Une enquête au pays, *par Driss Chraïbi*
R85. Le Diable sans porte (t. I : Ah, mes aïeux !)
      par Claude Duneton
R86. La Prière de l'absent, *par Tahar Ben Jelloun*
R87. Venise en hiver, *par Emmanuel Roblès*